USTED, S.A.

Fórmulas para crear su propia empresa o desarrollar un autoempleo

USTED, S.A.

Fórmulas para crear su propia empresa o desarrollar un autoempleo

William Bridges

grijalbo

USTED, S.A.
Fórmulas para crear su propia empresa
o desarrollar un autoempleo

Título original en inglés*: Creating You & Co. Learn To Think*
Like The CEO of Your Own Career

Traducción: Irving Roffe,
de la edición de
Addison Wesley,
Reading, Massachusetts, 1997

© 1997, William Bridges & Associates, Inc.

D.R. © 1998 por EDITORIAL GRIJALBO, S.A. de C.V.
Calz. San Bartolo Naucalpan núm. 282
Argentina Poniente 11230
Miguel Hidalgo, México, D.F.

ISBN 970-05-0975-3

IMPRESO EN MÉXICO

Índice

TERCERA PARTE
CONVIERTA SUS DATA
EN UN PRODUCTO

Agradecimientos

El presente libro lo inicié hace algunos años (aunque por ese entonces no lo sabía) con varios trabajos que realicé en Intel y Apple
Computer, donde noté que muchas personas no tenían lo que por
entonces yo llamaba "un verdadero empleo". Al tratar de comprender el significado de esto, comencé a correr la voz entre la gente con
la que me reuní: ¿acaso no habían notado algo similar?

Reuní mis impresiones en un ensayo titulado "¿A dónde fueron a
dar todos los empleos?" y lo envié a 50 personas que reflexionaban
sobre cuestiones similares. Me proporcionaron realimentación. El
ensayo comenzó a circular. Fue copiado y entregado a otros, quienes también me hicieron sugerencias. Luego comencé a dar conferencias sobre este tema cada vez que tenía oportunidad. Hubo más
realimentación. Reuní mis reflexiones en el libro *JobShift*, y obtuve
aún más información. Entonces la revista *Fortune* citó algunas partes del libro para el reportaje principal de la edición de su cincuenta
aniversario. Tuve mucha más realimentación.

Desde entonces, he presentado las implicaciones de la transformación del empleo para el individuo en numerosas ocasiones. Impartí
conferencias y programas de capacitación en las empresas Hewlett-
Packard, Motorola, AT&T, Shell Petroleum, Dow Chemical, Leo
Burnett Advertising y Amoco. Expuse mis ideas ante públicos de Francia, Australia, Canadá y Brasil. Muchísima más realimentación.

Ahora me encuentro en la difícil posición de haber escuchado y
ser influido por tantas personas que perdí la noción de lo que otros
tuvieron que ver con mi pensamiento y escritos. Desde luego, hay
quienes tienen especial mérito.

John Bell, mi editor en Addison-Wesley, fue una maravillosa combinación de crítico, apoyo y ayudante. Mi editor en Inglaterra,

Nicholas Brealey, me ayudó bastante al evitar lo peor de mi chauvinismo. Mi agente Jim Trupin me alentó extraordinariamente y salió en mi defensa. Mis socias, Bonnie Carpenter y María Salvador, mantuvieron las ruedas en marcha mientras yo me dediqué a escribir; y mi hija, y a veces adjunta, Sarah Bridges Parlet, compartió conmigo sus experiencias e ideas. Además de ellos, debo tomar la solución del cobarde, que es la lista por orden alfabético. Hela aquí:

Brian Baxter, de la editorial Baxter's Books de Minneapolis, quien me obsequió algunos libros aun antes de que los necesitara.

Nancy Brown y Jim Meadows, de AT&T, quienes me dieron una oportunidad en gran escala para probar mis ideas en un ambiente corporativo.

Bill Daniels, consultor en Mill Valley, California, quien me ayudó a entender cómo encajaba la transformación del trabajo en el mundo, basándose en proyectos de Silicon Valley.

Chris Edgelow, de Sundance Consulting, en Edmonton, Canadá, quien funcionó como caja de resonancia al desarrollar mis ideas.

Debora Engel, de 3Com, y Teresa Roche, anteriormente de la empresa Grass Valley Group, quienes debatieron mis ideas conforme éstas se desarrollaban.

Garth Johnston, de Colorado Issues Network de Denver, quien me brindó varios y excelentes foros para poner a prueba las ideas.

Meryem LeSaget, consultora y escritora parisina, quien reunió público para escucharme y que luego realizó la edición en francés de *JobShift*.

George Pendleton, de Washington, D. C., quien me ayudó a ver las implicaciones de *Usted, S.A.* para quienes no podían desempeñarse adecuadamente en el mundo laboral.

Lewis J. Perelman, de Alexandria, Virginia, quien esclareció el papel que juega en lo laboral la tecnología de la información.

Mark Powelson, de San Francisco, quien apoyó este proyecto en sus primeras etapas y planeó la creación de un programa sobre el tema en la televisora pública PBS.

Charles S. Savage, de Boston, quien me ayudó a entender el contexto histórico y sociológico de estas ideas.

Peter Van Sustern y colegas de Hewitt Associates, quienes están creando nuevas ideas para que funcionen mejor las empresas que se basan en aquéllas.

A todos ellos, toda mi gratitud.

Y, nuevamente, a Mondi, todo mi amor y la dedicatoria del presente libro.

Prefacio: un mensaje para el lector

Éste no es un libro que muestre el camino sobre cómo hallar empleo. No: de esos ya hay suficientes. Este libro trata de cómo hallar *trabajo,* una ocupación que lo complazca y le dé sostén. No escribí la presente obra para gente sin empleo (aunque también a ellos les será de utilidad), sino para personas que, tengan o no un empleo tradicional, sientan la carencia de un trabajo satisfactorio y de una carrera que los lleve a donde realmente quieren llegar. Mi esperanza es que, si usted es esa persona, pueda usar *Usted, S.A.* para renovar su carrera, reconstruyéndola sobre las únicas dos bases que son duraderas: las necesidades del mercado y sus propios recursos.

Como se indica en el capítulo 1, buscar un *empleo* es la forma equivocada de hallar trabajo o de renovar su carrera, porque los empleos están desapareciendo, debido a que en nuestra vertiginosa era de la información y de la tecnología de punta, ésa ya no es la mejor manera de cumplir con el trabajo. Muchas de las organizaciones para las que desearía trabajar ya realizan sus tareas sin depender demasiado de los empleos.

Cuando busca un *empleo*, en realidad busca algo que está desapareciendo de la escena socioeconómica, porque ya no está en su mejor momento evolutivo. En mi libro *JobShift* expuse mi tesis de la decadencia del empleo. Mi intención aquí es proporcionarle ayuda práctica basándome en esas ideas. Este libro es un programa "hágalo usted mismo" para diseñar su carrera.

Para aprovechar las oportunidades que ya están presentes, se debe comprender que los empleos fueron producto de la Revolución Industrial y el trabajo que caracterizó a esa época. Antes de 1800 nadie tenía un empleo. Esta palabra no se refería a algo que se pudiera "tener", sino más bien a algo que se "hacía". Durante siglos, "empleo" significó una tarea o pieza de trabajo. No existía la seguridad laboral, porque el empleo tradicional era, por definición, algo que hoy se tenía y que al día siguiente ya no. En ese momento su trabajo era recoger heno antes de que lloviese; mañana, hacer zapatos para su hija menor, y al día siguiente, vender en la feria de la aldea cercana el queso hecho por su familia. Al final de la semana, su empleo podía ser reparar el techo en el lado norte de su casa. Los empleos eran cosas que se "hacían".

Con el advenimiento de la era industrial, la gente emigró de ese mundo hacia las fábricas. Ahí, el trabajo estaba organizado de un modo distinto. Los obreros de las fábricas se vieron a sí mismos como una nueva clase laboral, no sólo porque implicaba estar a cargo de una máquina, sino también porque el proceso de fabricación fue dividido en varias funciones o segmentos separados y que se asignaban a las mismas personas para que, día con día, hicieran lo mismo y de la misma manera. Los empleos tenían descripciones (al principio de forma implícita y luego explícitamente), y se tenía un empleo mientras que otro era de otra persona, como pequeñas propiedades. En ese instante, la gente "tenía" empleo. Fue tan sólo cuestión de tiempo hasta que la gente llegó a sentir que, como una propiedad, eran dueños de sus empleos.

Tras casi dos siglos de tener empleos, el panorama del mercado laboral se está transformando nuevamente. Por las razones que discutiremos en el siguiente capítulo, el trabajo en la Era de la Información no se presta a *empleos* con la misma claridad que en el trabajo industrial. Las empresas que siguen contratando personas para darles empleo, pagándoles sobre la base de lo bien que lo realicen, supervisándolas para asegurarse de que lo cumplan, y organizando a los trabajadores en una jerarquía laboral, están descubriendo que funcionan con desventaja. Por otra parte, empresas como Intel, CNN y EDS abandonaron desde hace tiempo los empleos y ahora están floreciendo.

Los empleos están entre los productos más importantes de la Era Industrial y coinciden con las características de ese mundo, es decir:

* Funciones y responsabilidades claramente separadas.
* Procesos lineales de trabajo fáciles de segmentar.
* Largas secuencias de actividad predecible.
* Cambios discretos y relativamente infrecuentes.

Los empleos se crearon porque eran la manera más efectiva de cumplir con el trabajo en el mundo que los creó. Hoy no son tan efectivos porque cambió la forma en que somos más productivos. Por eso están siendo reemplazados por trabajo temporal, subcontratación, el uso de consultores, equipos multicapacitados o televiajeros autoadministrados.

Es por ello que un empleo es principalmente una solución a corto plazo para los problemas vocacionales del individuo, de ahí que la búsqueda de empleo es tan frustrante en esta época. Un curso de acción es hallar el trabajo que realmente necesita hacerse y presentarse ante quien lo necesite es la mejor forma de hacerlo. Es ésta, desde hace tiempo, la forma en que la gente, instintivamente, encontró las mejores oportunidades; en esos casos uno se pregunta "¿cómo se las ingenió para llegar a ese puesto?", pues en verdad nos maravilla.

Mi propósito en el presente libro es exponer un camino práctico hacia tales situaciones laborales ideales. Es un camino que usted ya puede seguir. Con base en la realidad del mercado de trabajo que se está *deslaborando* rápida y sistemáticamente (lo cual aborda el tema del capítulo 1), el libro muestra cómo seguir los cuatro pasos necesarios para aprovechar la gran transformación laboral posindustrial:

1) Cómo descubrir y describir la mezcla de capacidades, única en su tipo, que usted puede aportar al mercado laboral (capítulos 2 al 6).

2) Cómo desarrollar buen ojo para los mercados y cómo usarlo para buscar en este mercado laboral los mejores lugares para aplicar nuestras capacidades (capítulo 7).

3) Cómo combinar la información acerca de sus capacidades con información externa sobre las oportunidades para hacer un *producto* viable (capítulo 8).

4) Cómo reinventar su carrera como una empresa de una sola persona, formada alrededor de la creación y suministro de ese producto (capítulo 9), y cómo formular un plan práctico para desarrollar tal empresa (capítulo 10).

El objetivo de este proceso en cuatro pasos no es solamente comprender y adquirir nuevas actitudes, sino una lista práctica de actos a realizar que puede comenzar en cuanto termine de leer este libro. Mas no podrá rehacer rápidamente su carrera; es como un enorme barco al que tomará algún tiempo cambiarlo de curso, pero puede comenzar inmediatamente y ver resultados en muy poco tiempo.

Al transcurrir una generación, muchas de las cosas de las que estamos hablando parecerán obvias. Tal vez los jóvenes seguirán egresando de las escuelas con grandiosos planes para buscar puestos en un mundo sin empleos. En el Epílogo hablaré sobre los cambios que posiblemente ocurrirán en la educación, en los sindicatos, los servicios gubernamentales, corporaciones y organizaciones civiles. Puede ser que algunos lectores encuentren el trabajo más adecuado y logren cambiar esas mismas instituciones. Hay trabajo que está a la espera de ser realizado, y esas instituciones podrían proporcionarnos la capacitación y ayuda que tanto necesitamos.

Pero, por lo pronto, el individuo obrará por cuenta propia. Ésta es la razón del presente libro. Es un mapa para su travesía. Es el plano para que se convierta en *Usted, S.A.* Ello no implica forzarlo a formar alianzas o hacer de usted una corporación. Más bien, propongo demostrarle cómo identificarse con sus habilidades y aprovecharlas, del mismo modo en que un director general lo hace con su empresa. El resultado podría ser una operación de una sola persona, o una corporación creciente, o simplemente una nueva relación con su patrón. Sea cual sea la forma en que moldee su futuro, la lección más importante es que será usted quien lo haga, en vez de insertarse en un esquema definido por otra persona.

Extraje las conclusiones de *Usted, S.A.* de mis investigaciones y de mi experiencia personal. En 1974 renuncié a mi empleo fijo como profesor de literatura y comencé a hacer algo nuevo. No tenía idea de qué terminaría haciendo; peor aún, ni siquiera sabía qué curso tomar. Me vi atrapado en una trampa lógica que era (en mi caso particular) más o menos así:

—¿Qué quieres hacer?

—Dejar de dar clases de literatura.

—¿Qué es lo que sabes hacer?

—Dar clases de literatura.

—¿En qué tienes experiencia?

—Dar clases de literatura.

—¿En qué campo tienes una red de contactos?

—En dar clases de literatura.

Probablemente usted también tiene su propia versión de esta enloquecedora sesión de preguntas y respuestas.

Desde entonces aprendí mucho acerca de cómo renovar una carrera, por lo cual se los transmitiré sobre la marcha. Pero lo primero que aprendí es que la confusión que tantas personas sienten cuando piensan en lo que quieren hacer con sus vidas se debe a que confunden *trabajo* con *empleo* (si no es empleo, entonces es ofrecerse como voluntario). Somos personas con mentalidad de empleados. A duras penas sabemos cómo pensar en el trabajo si no hablamos de nuestra búsqueda de empleo, que el gobierno cree puestos, corporaciones que generan empleos en el extranjero, sindicatos que protegen puestos y nuestro sistema educativo y su manera de preparar gente para los empleos del futuro.

Hace una generación, el profesor en derecho Thurman Arnold afirmó que la gente "piensa que una sociedad se está desintegrando cuando ya no puede ser descrita en términos familiares. Infeliz es la persona que ya no tiene palabras para describir lo que está sucediendo". Ya es momento para crear una nueva forma de hablar del trabajo y pensar en él, porque, mientras eso no ocurra, no tendremos esperanza para nosotros y nuestros hijos. Es una labor totalmente factible. Las pistas y señales están en todas partes: en la manera en que los demás encuentran maravillosas situaciones y en cómo las organizaciones más innovadoras logran que el trabajo se realice. Las malas noticias son que lo anterior, al igual que todo gran cambio social, nos exige abandonar los vehículos que nos condujeron hasta aquí y seguir a pie por un tiempo, y eso es atemorizante.

Cuando eso se debe hacer, un mapa resulta muy útil. El presente libro es un mapa, y espero que le ayude.

La transformación laboral en acción

Al final de cada uno de los capítulos hallará preguntas, una especie de inventario o sugerencias para actividades. Ahora le ofreceré un ejercicio breve diseñado para medir las fuerzas que están *deslaborando* alguna organización que usted conozca bien. Puede ser una organización en la que trabaje como empleado, o puede tratarse de la pequeña organización de un solo individuo a la que usted llama grandiosamente "El consorcio XXXX". Puede ser la institución educativa donde estudia, o la iglesia a la que asiste; puede tratarse de la empresa para la que trabaja su pareja, o la compañía donde usted laboraba. Lo siguiente se aplica a toda organización que usted conozca bien.

Responda a cada una de las siguientes veinticinco afirmaciones encerrando en un círculo el número apropiado; utilice la siguiente escala para indicar la puntuación:

4: Completamente de acuerdo.
3: Más o menos de acuerdo.
2: Sí, pero no... no hay una imagen clara en esto.
1: Más o menos en desacuerdo.
0: Completamente en desacuerdo.

1. En su organización las descripciones de los empleos son importantes; todos quieren asegurarse de que la persona o departamento apropiado haga lo que debe hacer.

4   3   2   1   0

2. La mayoría de la gente está agrupada por funciones y los equipos interfuncionales tienen poca importancia en la imagen general sobre cómo se hace el trabajo.

4   3   2   1   0

3. La autoridad está basada más en el puesto que en lo que dictan las necesidades de una situación en particular.

4   3   2   1   0

4. Aunque a veces hablamos de gratificar la innovación y la capacidad de producir, en realidad pocas veces compensamos y ascendemos a los demás con base en ello.

4   3   2   1   0

5. Los líderes o administradores de la organización no son portavoces muy efectivos de la visión y valores de ésta; algunos de ellos sólo brindan apoyo a medias.

4   3   2   1   0

6. La mayoría de los administradores de organizaciones dirigen con palabras, mas no con el ejemplo. Muchos de ellos sólo son "mucho ruido y pocas nueces".

4   3   2   1   0

7. Cuando se necesita hacer algo en la organización, es muy frecuente que la gente diga: "Ése no es mi trabajo".

4   3   2   1   0

8. A veces oímos "Estoy cumpliendo con mi trabajo" como pretexto para no hacer algo que en realidad no necesita hacerse, o que no tiene utilidad.

4   3   2   1   0

9. Los empleados eventuales no tienen ninguna función importante en la organización; son utilizados (si es que se les utiliza) para ocupar temporalmente el lugar de empleados fijos que están ausentes.

| 4 | 3 | 2 | 1 | 0 |

10. La organización no hace muchas subcontrataciones; prefiere utilizar a sus propios empleados para hacer lo que se necesita.

| 4 | 3 | 2 | 1 | 0 |

11. La organización aún no comienza a usar tecnología de comunicaciones para ayudar a los demás a trabajar en casa, desde el local de algún cliente, desde una instalación de satélites, o al viajar.

| 4 | 3 | 2 | 1 | 0 |

12. En esta organización todos tienen empleos tradicionales, y aquellos cuya función no encaja bien en ese molde, no están en una situación segura.

| 4 | 3 | 2 | 1 | 0 |

13. En realidad no hay mucha "toma de poder" en esa organización, aunque hay mucha retórica para descentralizar la autoridad o la toma de decisiones.

| 4 | 3 | 2 | 1 | 0 |

14. Por debajo del nivel ejecutivo, pocos empleados entienden realmente la situación financiera de la organización, o cómo su actividad en particular puede afectarla.

| 4 | 3 | 2 | 1 | 0 |

15. Si se pregunta a los miembros de la organización quiénes son sus "clientes", posiblemente se obtenga una respuesta vaga; aun quienes elogian la atención al cliente no la practican.

| 4 | 3 | 2 | 1 | 0 |

16. La antigüedad y el nombre del puesto son más importantes que lo que realmente se aporta para determinar la situación y seguridad dentro de la organización.

| 4 | 3 | 2 | 1 | 0 |

17. En cualquier unidad formada por cien personas en la organización, posiblemente hay más de tres niveles administrativos.

| 4 | 3 | 2 | 1 | 0 |

18. No hay un fuerte impulso de empresa entre los empleados, y la cultura de la organización no apoya a quienes quieren iniciar nuevos proyectos.

| 4 | 3 | 2 | 1 | 0 |

19. La organización carece de recursos internos para ayudar a los empleados a encontrar nuevas formas de usar sus talentos cuando sus empleos ya no son necesarios.

| 4 | 3 | 2 | 1 | 0 |

20. La organización no incluye a los clientes, proveedores y subcontratistas en sus procesos de planificación, y no comparte con ellos la información importante.

| 4 | 3 | 2 | 1 | 0 |

21. Las cosas cambian constantemente dentro de la organización.

| 4 | 3 | 2 | 1 | 0 |

22. Las actividades de la organización se ven afectadas actualmente por las nuevas tecnologías y la introducción de nuevos productos.

| 4 | 3 | 2 | 1 | 0 |

23. Hay una intensa competencia dentro del ramo o profesión en la que se desempeña la organización.

| 4 | 3 | 2 | 1 | 0 |

24. La organización planea (o lo está considerando seriamente) utilizar reingeniería de procesos administrativos para rediseñar la forma en que se hace el trabajo.

4	3	2	1	0

25. En los últimos tres años, la organización fue recortada por lo menos en un 10%, mediante despidos, jubilaciones adelantadas o desgaste.

4	3	2	1	0

Sume la puntuación de las veinticinco afirmaciones; su resultado fue _____

Como posiblemente ya lo supuso, mientras mayor sea el total, más probabilidades hay de que la organización deba alejarse del esquema de empleos. Esto es especialmente cierto si la puntuación fue alta en las últimas cinco preguntas, que miden la necesidad de alejarse del esquema de empleos, y las primeras veinte preguntas, que miden la resistencia a hacerlo. Esa combinación es inestable y pone a la organización (y a su propio puesto basado en un empleo) en verdadero peligro. Cuando lea el capítulo 1 sabrá por qué las respuestas a estas distintas preguntas son el parámetro de la salud y perspectivas de la organización.

Primera parte

Por qué necesita a *Usted, S.A.*

Cuando las viejas palabras mueren
en la lengua, surgen nuevas melodías
desde el corazón; y donde se perdieron
las viejas huellas, se revela un nuevo
paraje con sus maravillas.

RABINDRANATH TAGORE

El intervalo entre la decadencia de
lo viejo y la formación y establecimiento
de lo nuevo constituye un periodo
de transición que necesariamente
debe ser siempre de incertidumbre,
confusión, error y entusiasmo desenfrenado.

JOHN C. CALHOUN

Antes de que usted pueda armar el nuevo plan para su carrera, tendrá que comprender dos cosas: primero, qué es lo que está sucediendo realmente en su lugar de trabajo y, segundo, cómo evaluar sus propios recursos para enfrentar la situación.

Primero: ¿qué está pasando aquí? Los trabajadores del ayer no necesitaban entender *por qué* las empresas contrataban, sino solamente *si estaban* haciéndolo.La gente acostumbraba decir que era necesario dejar el cerebro en la puerta al entrar a trabajar. Pero, de hecho, podía dejarse el cerebro incluso antes de buscar un empleo. Sin embargo, hoy el trabajador que no comprende *qué es lo que buscan* las empresas, *por qué* lo buscan y *cómo* puede realizarse el trabajo, no sabe lo suficiente para hallar el empleo que lo está esperando. Esto no significa que debamos ser expertos en asuntos laborales para encontrar trabajo (de hecho, es más probable que los expertos en asuntos laborales sean más bien expertos en *empleos*). Sólo significa que necesita tener sentido común y una concepción realista de lo que está sucediendo. Un buen principio es comprender tres cosas:

La primera es cómo y por qué el mercado de trabajo está cambiando. No es necesario generalizar respecto al tema de "más competitividad". Necesitamos entender el mercado laboral por la misma razón por la que un empresario necesita comprender el mercado: no sólo para lidiar con los cambios que ocurren, sino para aprovecharlos y capitalizar las oportunidades que nos proporcionan.

La segunda: necesitamos comprender por qué los empleos tradicionales ya no tienen cabida en este mundo, y por qué las empresas los están abandonando. Quizá usted crea que se sentiría más cómodo trabajando en una empresa que sigue basándose en los empleos, pero necesita comprender que incluso esas compañías ya no son lugares de trabajo "seguros" como antes lo eran, porque no serán capaces de competir efectivamente y, durante mucho tiempo, contra las "empresas deslaborizadas". Ese buen empleo "sólido" que usted puede hallar en ellas está, por consiguiente, construido como un castillo de arena. La sola idea del "riesgo" se transformó; excepto como expediente a corto plazo, ahora es "arriesgado" depender de un empleo convencional en una empresa que utiliza tales puestos para cumplir con el trabajo.

La tercera cuestión que necesitamos comprender es cuáles son las alternativas para los empleos. Existen muchas otras formas de trabajo que pueden beneficiarlo tanto a usted como a las empresas. Cada vez más organizaciones están cumpliendo con su labor mediante estos *roles*, y si busca trabajo y le interesa formarse una carrera que tenga alguna durabilidad, debe construir cada una de las partes de sus planes.

Ésas son las cuestiones que examinaremos en el capítulo 1. El capítulo 2 está dedicado a la manera en que una persona debe evaluar los recursos que puede aportar a su nuevo lugar de trabajo. El empleado de antaño no necesitaba preocuparse por esto. Había "requisitos" para los empleos. Aparecían en las listas de las bolsas de trabajo. A veces podíamos hablar para conseguir uno o dos de ellos, pero eso no era frecuente; sin embargo, también se transformó la idea de los "requisitos". Las empresas que están desechando los empleos también se están alejando de las prácticas tradicionales de contratación. Están en busca de cosas distintas, y usted necesitará comprender qué son estas cosas para poder presentarse ante ellas con éxito. Estos nuevos requisitos son el tema del capítulo 2.

1. Por qué es tan difícil hallar un empleo verdaderamente bueno

Que una empresa como Digital
[Equipment Corporation] no tenga un empleo
para usted, no significa que
no haya trabajo que usted pueda hacer.

MARK DRESNER,
vicepresidente ejecutivo de
Infinite Technology y
empleado *recortado* de DEC

¿Qué está pasando ahí?

La idea de que el mundo está cambiando a un ritmo sorprendente es uno de tantos lugares comunes que ha pasado por muchas manos que perdió casi todo su valor; pero aun así, sigue siendo cierto. Sin embargo, lo más importante es que algunas de sus implicaciones más significativas todavía no se comprenden totalmente. Una de ellas es la manera en que el cambio frecuente y profundo afecta nuestras vidas laborales.

El punto de vista convencional es que el cambio constante mantiene al mundo organizado en un desorden perpetuo. El capital de las empresas sube y cae, y se crean y destruyen empleos en este proceso. Los empleados, como si se tratara de marineros en un barco en medio de la tormenta, siguen cayendo al mar por la borda, donde nadan para salvar sus vidas hasta que se aferran a otro barco, sólo para volver a caer por la borda con la siguiente tormenta. Los empleos —aquellas épocas en que los empleados tenían una sólida cubierta bajo los pies— son cada vez más y más breves.

Ese punto de vista no es totalmente erróneo, porque siguen ocurriendo despidos y las posibilidades de hacer una carrera al interior de las empresas ha disminuido para muchos empleados. Pero los cambios que nos afectan no sólo son cuantitativos, ya que pueden ser rastreados en las subidas y bajadas de las cifras del mercado laboral o en las crónicas que aparecen en la prensa; también son —lo que es aún más fundamental— cambios cualitativos. Definir la situación de hoy como un periodo de turbulencia económica, como aquellas que experimentamos periódicamente en el pasado, fundamentalmente malinterpreta el fenómeno que está transformando las vidas laborales de todos, de tal manera que hace una década habría sido inimaginable.

La letra en la pared

Considere las siguientes situaciones, que quizá tengan muy poco en común, excepto que están relacionadas con el mercado de trabajo y que están ocurriendo simultáneamente en muchos lugares distintos.

- A los principales economistas no les iba mal en los grandes bancos y en las agencias bursátiles: salarios cuantiosos y un oficio de suma importancia que parecía hacer que sus empleos fuesen seguros. Pero entonces algunos economistas que perdieron su empleo, o renunciaron a él, se reunieron y fundaron empresas que proporcionaban sofisticados pronósticos con base en un consenso obtenido de muchas predicciones, y así lo hicieron por 500 o 1 000 dólares al año. **El argumento:** *el producto de una microempresa sustituye al empleado de una gran compañía, y lo hace por menos del 1% del costo.*
- La empresa Carter's Gold Medal Soft Drinks, una división inglesa de Hero, el gigante suizo de la industria de los alimentos, necesitaba cambiar su sistema de distribución y entrega. En lugar de contratar a una empresa consultora o buscar un nuevo ejecutivo, la compañía acudió a Executives on Assignment (Ejecutivos por Asignación), una agencia temporal, y hallaron a Jon Tipping.

Ingresó como lo habría hecho cualquier consultor y analizó la situación: haciendo recomendaciones para realizar cambios radicales. Luego, tomó el papel de gerente de distribución (como lo habría hecho cualquier empleado eventual) e hizo funcionar su propio plan. Luego de ahorrar a la empresa 15% de sus costos anuales de distribución, contrató a su sustituto y salió de la compañía. **El argumento:** *un subcontratista resuelve el problema de una compañía, instrumenta la solución y pasa a otra cosa.*

- Cuando el World Trade Center quedó severamente dañado por una bomba terrorista en febrero de 1993, la compañía elegida para limpiar el desastre fue la empresa Restoration Co. de Norcross, Georgia. En cuestión de unos cuantos días, la compañía aumentó su nómina de 50 a 3 600 empleados, abrió una bodega de equipo de limpieza y creó, a partir de la nada, un sofisticado sistema de comunicaciones por radio. Hizo lo anterior y además terminó la limpieza en apenas 16 días, incluyendo dos días perdidos por una intensa ventisca que casi paralizó a la ciudad de Nueva York. **El argumento:** *una empresa muy pequeña se expande lo suficiente para hacer un trabajo enorme, y luego vuelve a su tamaño anterior, todo en menos de tres semanas.*

- Lotus, que ahora es parte de IBM, tenía una planta de fabricación en North Reading, Massachusetts, y sólo seis empleados de tiempo completo. Es un equipo de trabajo que produce software durante las épocas flojas, y un equipo administrativo con 250 trabajadores a sus órdenes en las épocas con demasiado trabajo. ¿De dónde vinieron estas 250 personas? Olsten Corp., una empresa de colocaciones, los contrata y capacita, suministrándolos a Lotus conforme sea necesario. **El argumento:** *unos cuantos trabajadores de tiempo completo pueden operar una planta de fabricación si tienen un personal completo a su disposición, pagándoles solamente cuando hay trabajo para que ellos lo hagan.*

- La empresa Trinity Communications de Boston tiene 40 empleados, en la cual más de la mitad trabajaba para el cliente más grande de Trinity, una gran compañía aseguradora de Nueva Inglaterra. En una reorganización a gran escala, esta empresa cerró su departamento de comunicaciones y luego ayudó a sus principales empleados a comenzar como compañía independiente, para que la empresa de Nueva Inglaterra contratara la mayor parte de su trabajo de comunicaciones. Otras empresas han adoptado una actitud alentadora similar hacia los empleados que salen, iniciando empresas y luego los subcontrata. La empresa Boeing tiene incluso un programa de capacitación para preparar a sus empleados. **El argumento:** *una empresa descubre que sus propios trabajadores pueden ser más valiosos como proveedores que como empleados de tiempo completo.*

- Cuando la Universidad Johns Hopkins decidió hacer un catálogo de los archivos de sus instituciones médicas, no recurrió a su propio personal, sino a una empresa con el insólito nombre Electronic Scriptorium. Después de todo, ese nombre no es tan insólito, porque sus empleados son todos monjes de la Abadía de la Santa Cruz en Virginia y de la Abadía Getsemaní en Kentucky. Sus votos les impiden trabajar en el mundo exterior, pero no hacer el trabajo del mundo en sus claustros. **El argumento***: la respuesta al problema de la compañía puede estar en subcontratar el trabajo que necesita a una empresa que capitaliza sus recursos especiales.*

- Por último: cuando una subsidiaria de Reuters Holdings, de Londres, empresa que diseña monitores para computadoras, necesitó gente para un proyecto, la "tomó prestada" de una docena de otras compañías. Estos trabajadores prestados estaban geográficamente dispersos, por lo que la mayoría de su trabajo necesitaba hacerse por correo electrónico y fax. A pesar de ello funcionaron como un equipo para cumplir con el trabajo que Reuters necesitaba. **El argumento:** *sus trabajadores actuales no necesitan estar en el lugar, o ni siquiera contratados por usted. Simplemente se busca la gente idónea para hacer el trabajo creando las mejores condiciones para que puedan cumplirlo.*

¿Cuál es el tema subyacente que unifica todas estas anécdotas? Cada vez más trabajo que debe hacerse en la actualidad es realizado por personas que no tienen "empleo" en la empresa que necesita cumplir con algún trabajo.

- Trabajan para alguna otra empresa que es subcontratada.
- Trabajan en una función demasiado efímera o fluida para considerarlo un empleo de tiempo completo.
- Son independientes y llegan a las puertas de las empresas como consultores o profesionistas independientes.
- Son empleados eventuales.

Con tanto trabajo desviado a estos canales, no debe sorprendernos que los empleos sólidos, de tiempo completo y a largo plazo con "buenos contratantes" del ayer sean tan difíciles de encontrar.

Pero estos ejemplos son el resultado de causas que son mucho más profundas y que cambiaron definitivamente el mercado de trabajo, del mismo modo que la industrialización lo hizo hace casi 200 años. La *deslaborización* de la empresa moderna no está ocurriendo debido a algún movimiento o moda, es el simple resultado de fuerzas sociales y económicas que se expanden en el mundo moderno como un cambio culminante. Estas fuerzas comprenden seis aspectos distintos.

Cómo y por qué está cambiando el mercado laboral

La primera de las fuerzas que cambió el mercado laboral proviene del hecho de que más y más trabajo actualmente está relacionado con el procesamiento de conocimientos, en vez de la manipulación de cosas. Incluso hay compañías que están en el núcleo de la economía industrial, como las automotrices, pues la mayoría de sus trabajadores hace "trabajo con conocimiento" en vez del trabajo industrial tradicional. La mercadotecnia, la investigación y desarrollo, las finanzas, el personal, la administración, los servicios de información, el suministro, la distribución —es decir, todos estos campos— están dominados por los conocimientos, aun cuando el producto de la organización sea industrial.

Peter Drucker formuló esto de manera clara y tajante; hoy afirma:

El recurso verdadero y que ejerce control, y el "factor de producción" totalmente decisivo, hoy en día, ya no es el capital, la tierra o la mano de obra. Es el conocimiento. En vez de capitalistas y proletarios, las clases sociales de la sociedad poscapitalista son los trabajadores calificados y los trabajadores de servicios.

Lo que Drucker no menciona es que aunque podemos hablar de conocimientos y empleos de servicios, el trabajo realizado en éstos es más difícil de catalogar en descripciones de empleos que la división tradicional del trabajo de fábrica y de oficina. Además, el trabajo de conocimientos y de servicios tiene más posibilidades de realizarse por equipos interfuncionales que el trabajo industrial (donde la gente tiene "asignaciones" en lugar de empleos), que el trabajo físico en una línea de ensamblaje. El trabajo de conocimientos o de servicios tiene más posibilidades de turnarse a consultores o profesionistas independientes que el trabajo industrial, además de que es más fácil de subcontratar. La línea de fondo es: el trabajo de conocimientos y, en menor medida, el de servicios, confunde los límites de los empleos, que eran tan claros en la fábrica y la oficina tradicionales.

El segundo factor causante de la *deslaborización* en el mercado laboral actual es la tecnología de información y comunicación. El trabajo de conocimientos no sería posible sin computadoras, módems, faxes, receptores de mensajes (o *beepers*) y teléfonos celulares.

La tecnología industrial concentró a la gente en el tiempo (horas normales y turnos fijos) y en el espacio (fábricas y oficinas). Los tornos, taladros y cintas transportadoras permitían a todos reunirse para realizar el trabajo que no podían hacer en casa o en talleres pequeños. La nueva tecnología de la información, por otra parte, los dispersa permitiéndoles hacer su trabajo en cualquier lugar y en cualquier momento. Si usted quiere empleo, probablemente necesitará estar dispuesto a trabajar de las 8:00 a las 17:00 horas, o en el turno móvil, y en un pequeño cubículo en el tercer piso, o una estación en la línea de ensamblaje. Pero si quiere trabajar, lo que cuenta es lo que usted puede producir, y no dónde y cuándo trabaje. La tecnología también aceleró el ritmo de la innovación, y esto a su vez significa que ninguna empresa de trabajo puede durar tanto como antes.

34

Un producto nuevo sucede a otro en tan poco tiempo que las compañías necesitan reestructurarse constantemente para poder lanzar la siguiente generación de productos. Conforme los ciclos se hacen más breves, los puestos o agrupamientos organizativos que no pueden cambiarse rápidamente se convierten de inmediato en desventajas.

La nueva tecnología amplifica el cambio. La tecnología de comunicaciones aumenta nuestro contacto con situaciones nuevas y destruye los amortiguadores de tiempo y espacio que antes limitaban nuestra exposición a los cambios ocurridos en otro lugar. Los eventos distantes acaecidos nunca entraban en la conciencia de los demás, porque cuando la gente se enteraba de los mismos, si es que alguna vez los conocía, ya eran noticias viejas. Hoy, el impacto de los acontecimientos que suceden al otro lado del mundo se sienten casi como si estuvieran a nuestro lado.

Ese hecho nos lleva a la tercera causa principal del alejamiento de los empleos: el ritmo del cambio mismo. Los cambios se suceden con más frecuencia. El resultado es que, como lo describe el director general de Xerox, Paul Allaire,

> operar efectivamente en este entorno empresarial más complejo y volátil requiere la capacidad de lidiar con el cambio, y a un ritmo sumamente rápido... debemos crear una nueva arquitectura organizacional, lo suficientemente flexible para adaptarse al cambio. Queremos una organización que pueda evolucionar, que pueda modificarse a sí misma conforme se modifiquen la tecnología, las capacidades, la competencia y la totalidad del entorno.

Como veremos enseguida, el empleo demostró ser un mal elemento de construcción para esta nueva arquitectura.

La búsqueda de esta "nueva arquitectura organizacional" nos conduce a la cuarta fuerza que contribuye a la deslaborización de nuestras organizaciones, se trata de la actual oleada de esfuerzos administrativos para construir más flexibilidad, reacciones rápidas, enfoque en el cliente y responsabilidad individual en las empresas. Sea en la forma de administración de calidad total (ACT [de total quality management, TQM]), servicio al cliente, delegación de responsabilidades, autoadministración, reingeniería o intercapacitación, las iniciativas administrativas desplazaron el enfoque de "cumplir con nuestro empleo" a "hacer todo lo que sea necesario hacer". Lo que necesita hacerse incluye cualquier cosa que

- asegure una calidad a nivel mundial (ACT),
- agrade al cliente (servicio al cliente),
- resuelva el problema (delegación de responsabilidades),
- decida qué debe hacerse (autoadministración),
- cree procesos comerciales efectivos y eficientes (reingeniería) y
- haga que cada uno logre sus labores (intercapacitación).

Cada una de estas iniciativas es lanzada para lograr lo que todos reconocemos como importante, pero todas terminan erosionando aún más los límites, ya de por sí poco claros, del empleo tradicional.

Una quinta causa de la deslaborización es el deseo de crear la "arquitectura lo suficientemente flexible para adaptarse al cambio", como señala Paul Allaire, que también resulta de los esfuerzos por "desintegrar" la compañía en elementos separables. Puede verse este impulso en la división de AT&T, los hoteles Hilton, ITT y otras entidades corporativas. También puede notarse el mismo impulso en la tendencia a "disgregar" funciones o actividades antiguamente agrupadas y reinventarlas como centros separados de ganancias. Y además puede verse en la tendencia a "desconstruir" la empresa en operaciones separadas, en la que alguna de sus piezas pueda subcontratarse a proveedores externos, o turnarse a profesionistas independientes que entran a la empresa para realizar, como trabajadores eventuales, lo que originalmente era hecho por empleados. En cada caso, la compañía separada en sus piezas y componentes facilita el encontrar modos de lograr negocios y hacer que el trabajo se lleve a cabo sin necesidad de depender de empleados de tiempo completo y de planta.

En la sexta y última, existe la fuerza de lo que en inglés se conoce como *baby boomer* (o generación que nació en los años cincuenta). Es el grupo demográfico más grande de nuestra historia, un gorila de 400 kilos en medio de un montón de influencias. Cualquier cosa que preocupe o interese a los miembros de esa generación se convierte, casi automáticamente, en un factor de gran peso en cualquier ecuación social o económica. Cheryl Russell, ex jefa de redacción de *American Demographics*, dijo que la característica predominante de los *baby boomers* es el individualismo (que ella define como un énfasis del yo por encima del grupo) y llamó a esto "la tendencia maestra de nuestra época".

Aunque aparentemente ella no es consciente del desplazamiento socioeconómico al que llamamos deslaborización, llama a los *boomers* "la primera generación de agentes libres". La mentalidad de agente libre desemboca en la frustración con los empleos tradicionales. Los padres de un *baby boomer* están siempre preocupados por su rápida disposición a salir de un buen empleo en una empresa "sólida" en busca de un puesto mal definido en alguna pequeña compañía. O, cuando permanecen en la empresa sólida, los *boomers* siempre trabajan en los límites mismos del empleo, forzándolos a que les den más desafíos y libertad. En cualquier caso, el empleo tradicional siempre se convierte en algo más libre, flexible y más transitorio.

Las aspiraciones de esta generación no sólo contribuyen al alejamiento de los empleos fijos y convencionales y hacia formas más individualizadas de ganarse la vida. La clase de productos y servicios que la generación favorece también contribuye a las fuerzas que erosionan los empleos y que hasta ahora ya tenemos identificadas. Según Russell, esta generación está "personalizando" el mercado y a la economía de tres modos distintos; desean productos y servicios que sean: *1*) "diseñados a la medida para comercializarlos en segmentos más pequeños de consumidores hasta llegar al nivel individual"; *2*) inmediatos ("empresas exitosas entregan productos y servicios a conveniencia del consumidor, en vez de la conveniencia del producto"), y *3*) vistos con valor ("las empresas deben fijar precios competitivos o crear productos innovadores que puedan obtener los mejores precios").

Traduzcamos estas fuerzas del mercado al marco de trabajo que estamos utilizando. En primer lugar, la producción de un producto o servicio hecho a la medida dificulta a los trabajadores limitar sus esfuerzos a la clase de actividad convencional que requiere los requisitos del empleo tradicional. Los empleos se desarraigaron a causa de la producción en masa, y la producción hecha a la medida representa un desplazamiento a partir de las funciones industriales tradicionales. En segundo término, la demanda de entrega inmediata y sobre pedido simplemente intensifica el proceso. Si necesita hacerse de inmediato será más difícil para los trabajadores decir que no lo harán porque no es cosa suya. Por último, la exigencia de valor significa que toda labor está en competencia con docenas para entregar el valor por el que pagará el cliente individual. Conforme se hace más y más difícil que los productos tradicionales se fijen en sus mercados, se hace correspondientemente más posible que el empleo tradicional sea sustituido por algo más flexible.

Como el saturado mercado de *boomers* impulsa innovaciones de productos que requieren cambios organizativos, entonces la dificultad de mantener el predominio en el mercado conduce a una cantidad de proveedores que se expande constantemente. Esa proliferación de orígenes para bienes y servicios acelera aún más los cambios de lo que hablamos. John Case, periodista de la revista *Inc.*, utiliza la metáfora de la "fricción" para describir cuál es el cambio y el camino de cambios que "liberan" al mercado y destruyen las antiguas barreras ante la competencia.

> La fricción económica es todo aquello que impide que el mercado funcione según el modelo de la competencia perfecta descrita en los libros de texto: distancia, costo, regulaciones restrictivas, información imperfecta. En los mercados de alta fricción, los clientes no tienen muchos proveedores para elegir entre ellos... Los mercados de baja fricción son justamente lo inverso. Surgen nuevos competidores por todas partes y los clientes responden rápidamente... El cambio más significativo en la economía de los últimos veinte años fue una reducción generalizada en la fricción.

Y esa misma reducción en la fricción acelera aún más el cambio. Es una trayectoria cerrada de realimentación que intensifica los efectos que crea, como el sistema de audio que capta su propia estática y se convierte en un zumbido ensordecedor.

Por qué los empleos ya no funcionan

Cuando se habla de cómo los empleados eventuales o de honorarios (o trabajadores independientes) son utilizados en lugar de los empleados tradicionales, o cuando se habla de cómo desaparecen "los buenos empleos" al subcontratar a proveedores externos, generalmente se sugiere que las compañías son tan codiciosas que tratan de obtener algo sin pagar buenos sueldos. Ahora bien, la codicia es real en el mundo corporativo, y siempre lo ha sido, pero el mejor ejemplo que encontramos es el excesivo sueldo pagado a los altos ejecutivos que los aleja de los empleos desempeñados por empleados de tiempo completo y de planta.

La razón fundamental por la que las compañías se alejan de estos empleos y de este tipo de empleados es la necesidad de lidiar con las condiciones antes señaladas. Las empresas de hoy buscan desesperadamente esa "arquitectura lo suficiente flexible para adaptarse al cambio" descrita por Paul Allaire, de Xerox. Y los empleados tradicionales, por decirlo de un modo simple, no proporcionan esa flexibilidad y capacidad de adaptación. Un entorno donde el cambio es la norma posee varios problemas.

1. Los empleos y el marco mental orientado hacia los empleos alienta a la gente a "cumplir con lo suyo", pero "no a cumplir con lo que necesita hacer". Si lo que necesita hacerse sale de los límites estrechos de sus funciones, los empleados afirman "ése no es mi trabajo". Su contrato sindicalizado puede apoyarlos en este sentido. Para algunos individuos esto es muy importante, hasta que desaparece el empleo o la empresa misma. Para las compañías basadas en empleos, esto es un problema: componentes cruciales del trabajo no se llevan a cabo, o se hacen con demasiada lentitud y después de discutir demasiado.

2. Los empleos y las estructuras organizativas basadas en empleos alientan la contratación. Las condiciones cambiantes crean nuevas labores que necesitan hacerse, parece obvio a los empleados que las corporaciones deben crear nuevos empleos y contratar a gente para que los haga. Además, el trabajo del administrador se acrecenta si aumenta la cantidad de reportes que deba realizar. El hecho mismo de dividir el empleo del trabajo que debe hacerse nos alienta, de dos formas distintas, a contratar más. Cuando la inflación cubrió la costosa estructura de muchas organizaciones, eso podía ser una situación tolerable, pero hoy, cuando el valor tiene tanta demanda en el mercado, debe evitarse la contratación innecesaria.

3. Los empleos confunden la imagen en su conjunto y las metas definitivas del impulso colectivo. La gente emprende acciones que finalmente van en contra del esfuerzo general, pero las utilizan argumentando: "Sólo cumplo con mi trabajo". Muchas actividades que antes eran razonables, aunque igualmente innecesarias (o incluso perjudiciales), persisten porque son parte de las funciones de alguien. Huelga decir que es difícil que la gente acepte que "cumplir con su trabajo" bien podría disminuir la efectividad de la empresa.

4. Por último, en una sociedad que cada vez tiene menos raíces, los empleos se están convirtiendo en la parte más importante de nuestras entidades. Pregunte a alguien qué es y le responderá: "Soy técnico (empleado de selección, gerente de ventas, ejecutivo de investigación y desarrollo, enfermera pediátrica, corredor de bienes raíces)". Casi ni nos sorprende que tales personas vean algo que ponga en riesgo sus empleos como una amenaza a su existencia misma. En épocas de desintegración de la familia, de la crisis comunitaria y de la transitoriedad general, la gente se aferra desesperadamente a sus empleos. Lo que desde hace mucho era verdad en las sociedades industrializadas, cuando los empleos eran más seguros, esto producía relativamente pocas dificultades. Pero hoy la identidad del empleo es demasiado frágil para fijar a ella una vida saludable. La mayoría de nosotros nos resistimos a cualquier cambio organizativo que amenace esos empleos, aun cuando sea necesario preservar el empleo en la compañía.

Por estas razones, los empleos son disfuncionales en casi toda compañía, excepto en las más lentas. Son una forma obsoleta de hacer que el trabajo se cumpla, y que encaje con las realidades de la nueva economía, pero coincide demasiado bien con las expectativas de muchos trabajadores. Debido a que el prospecto de un mercado de trabajo en donde los empleos son cada vez menos importantes, este hecho es casi inconcebible para la mayoría de los trabajadores, y las empresas además no quieren hablar mucho sobre lo que está sucediendo realmente. Argumentan que asusta mucho a la gente. Para ser justos, debe admitirse que la mayoría de las empresas no comprenden lo que está sucediendo, pero sus actos contribuyen a la deslaborización casi como si se tratara de una estrategia bien pensada.

Enfoque sus energías en lo que necesita hacerse

En este mercado de trabajo que se está deslaborizando constantemente ya no basta con hallar una "industria incipiente" o "una profesión con futuro", o un "ramo que pronto se expandirá". En vez de ello, necesitamos enfocar nuestros esfuerzos para convertirnos en una clase distinta de trabajador. Para aprovechar las oportunidades que hoy en día existen y que aumentarán en el futuro, necesitamos reconstruir nuestras carreras alrededor de una estrategia que facilite el trabajo que necesita hacerse, con el fin de suministrar lo que el cliente desea o aumentar su capacidad para proporcionarle lo que pida.

Es buena idea comenzar aquí: la seguridad ya no reside en el empleo (en ningún empleo), reside en nuestra capacidad de añadir valor a lo que hace una compañía o, más específicamente, agregar valor a lo que el cliente obtiene por su dinero. Este valor agregado puede añadirse directamente al producto o servicio que el cliente recibe.

Las capacidades que necesita desarrollar para añadir el valor agregado no son las basadas en un empleo, ni siquiera esas esotéricas capacidades de computadora que desearía tener. En gran medida, son capacidades que le permitirán hallar lo que necesita hacerse, adaptar sus recursos a esa labor y ser usted mismo una respuesta a las necesidades de alguien. Son en realidad capacidades que están menos asociadas con ser un buen empleado que con ser un efectivo operador de una microempresa. Por ello, la tercera parte de este libro trata acerca de cómo administrar *Usted, S.A.,* la "microempresa" que dará energía a su carrera.

Lo que quiero dejar claro en este punto es que usted manejará su carrera como si fuese una empresa, sin importar si es empleado de su actual compañía, de una nueva empresa o un trabajador independiente que funciona como subcontratista de proyectos para cualquier compañía. Robert Schaen, ex contralor de la Ameritech, una compañía telefónica regional, lo formuló de este modo:

> Los días de los grandes conglomerados están llegando a su fin. La gente deberá crear sus propias vidas, sus propias carreras y sus propios éxitos. Algunas personas entran berreando al nuevo mundo, pero sólo hay un mensaje: todos estamos por nuestra cuenta.

Schaen tomó al pie de la letra su propio consejo, convirtiéndose en un editor de libros para niños, pero no es necesario iniciar de esa manera un nuevo negocio para funcionar del mismo modo.

Para ver el futuro, vea las películas

Para apreciar el rango de posibilidades que existe, eche un vistazo a la industria que fue mucho más lejos que la mayoría en lo que se refiere a deslaborización: el ramo cinematográfico. Si usted fuera autor, camarógrafo, maquillista o director en los años cuarenta, es muy probable que fuese empleado. En aquel entonces, las películas eran producidas por grandes corporaciones (MGM, Twentieth Century Fox, Warner Brothers) y si deseaba trabajar en ese ramo, no le quedaba otra alternativa más que ser contratado por alguno de esos grandes estudios.

Pero en la siguiente generación la cinematografía se derrumbó. Los grandes estudios se "desagruparon" lentamente en operaciones menores y más estrechas. Algunos se convirtieron en productores cinematográficos independientes, de los cuales la mayoría eran poco más de unas cuantas personas importantes con su equipo inmediato de apoyo. La televisión emergió como una nueva clase de competencia para la industria cinematográfica y la gente inició cientos de pequeñas empresas de apoyo técnico (iluminación, efectos especiales, sonido, vestuario y logística para personal cinematográfico). El que antes era empleado en una gran empresa se convirtió en el operador de la microempresa de hoy, conforme los grandes proyectos fueron realizados por conglomerados de pequeñas empresas bajo la dirección de un productor independiente.

Me enfrenté con este mundo por primera vez a través de un consultor de computadoras que utilizaba mi propia microempresa. Su esposa y él salieron de la gran compañía de computadoras en la que trabajaban para iniciar la clásica microempresa de servicios, ayudando a personas con pocos conocimientos tecnológicos, como yo mismo, a utilizar el nuevo poder de las computadoras que estaba a nuestra disposición. Al principio de su trabajo con mi empresa, él me advirtió que debería dejar nuestra relación de negocios durante un tiempo, si algún productor conocido obtenía fondos para una nueva película. Yo no entendí la relación, por lo que me explicó que su trabajo en su anterior empleo de computadoras era de finanzas, pero que su vocación siempre fueron las películas. Al principio de su carrera como empresario independiente lo contrató el productor en cuestión para iniciar y administrar la contabilidad de una película. Le encantó y al productor le gustó su trabajo, por lo que repitieron este arreglo periódicamente durante los siguientes años. Ahora, el productor acudía nuevamente para obtener ayuda. Nuestro consultor dijo que nos conseguiría otro consultor de computadoras y trabajaría con él durante un tiempo para ponerlo al corriente y así nuestro proyecto no perdería tiempo. También me dijo que volvería al terminar la película si así lo deseaba yo. Y así resultó: tuvo que irse. Manejó el cambio de manera muy profesional, nos gustó la persona que puso en su lugar, y tanto el productor de películas como nosotros logramos que nuestro trabajo se realizara.

Este trabajador, independiente y que pasa de una compañía a otra sobre la base de las necesidades y las oportunidades, es un posible modelo del trabajador deslaboralizado. Otro es la persona que desea quedarse con una sola empresa, manejando su carrera como si operara en el mercado de trabajo externo. 3M es una empresa que alentó ese tipo de trabajador. Len Royer, ex director de la unidad de 3M donde se desarrolló el tan utilizado Post-It, describió esta clase de mercado de trabajo deslaboralizado:

> Ya nadie dice "lo ayudaremos". Si alguien tiene una idea, se forma un grupo para este fin, que puede ser de dos personas. No se tiene una alta administración que nos apoye. Llevamos la idea a donde está la acción, dejamos que la gente lo note, y vemos cómo responden. Si no se molestan en acudir a nosotros, lo descartamos y pasamos a otra cosa. Pero si les gusta, nos lo hacen saber.

Usted puede ser empleado en 3M, pero la forma en que trabaja es ciertamente más parecida a una empresa propia que tener un empleo antiguo.

Para ver el futuro, vea las nuevas industrias

Las empresas que capitalizan las oportunidades ofrecidas por los cambiantes mercados de hoy dependen de los empleados que operan de forma independiente. Un ingeniero de diseño de software en Microsoft captó el espíritu de muchas empresas de vanguardia cuando confió a un entrevistador: "En Microsoft no se dura mucho tiempo si el empleo es tan sólo un empleo". Los empleados en esa empresa no tienen horarios fijos, pero están bajo constante presión para entregar la producción prometida a tiempo y con un alto nivel de calidad. Dado que la gente se administra a sí misma como empresarios independientes en vez de trabajadores convencionales, no hay trayectorias preestablecidas de carreras en la empresa. Esto significa, en palabras de un gerente de recursos humanos de la empresa, que si la gente quiere cambiar funciones, o si quieren pasar por experiencias distintas, eso no es mal visto. Hay mucho movimiento interno y lateral... los empleados impulsan su propio desarrollo, y necesitamos diseñar toda nuestra administración y nuestros programas de capacitación para apoyar, aumentar y facilitar ese desarrollo... se comienza desde los objetivos de la persona en cuestión, los objetivos a largo plazo, y luego hacemos coincidir nuestros métodos tácticos a corto plazo para aumentar esos [objetivos].

Estas personas son "empleados", pero el espíritu de sus trabajos es muy independiente. Manejan sus carreras como si fuesen profesionistas independientes que fijan y siguen planes individuales de negocios. El trabajo deslaboralizado es el modo dominante de las actividades en Microsoft, CNN, Intel, Publicaciones Condé Nast, EDS, la Consultoría Andersen y muchas otras compañías exitosas. Esto también es muy evidente en empresas menos famosas. ¿Qué nos depara el futuro? Posiblemente más de lo mismo. Como dijo recientemente Peter Schwartz, ex jefe de planificación en la empresa petrolera Royal Dutch Shell, quien desarrolló el importante proceso de planificación basado en escenarios.

Me parece plausible que en diez años no veremos las multinacionales de hoy, sino más bien organizaciones "techo" grandes que actúen como conductoras de muchas empresas pequeñas que se reúnan durante breves periodos para realizar proyectos amplios pero a corto plazo: por ejemplo, la producción de un nuevo automóvil. Pero la organización techo tal vez no sea una organización duradera en la forma en que, por ejemplo, lo fue GM.

Sospecho que GM hará este cambio en una etapa muy tardía del proceso, y que los empleos durarán ahí mucho después de que desaparezcan en otros sitios. Pero quizá no sea así. Consideren la tendencia de GM al subcontratar más de sus piezas automotrices y las batallas que mantiene con los sindicatos por hacerlo. Cuando la burocracia no puede hacer cambiar a sus trabajadores con mentalidad de empleo, tiene el *as* en la manga de la subcontratación. Hasta una burocracia como el Departamento de Recaudación Interna del Reino

Unido (el equivalente de la Secretaría de Hacienda en México) se dio por vencida para que sus trabajadores de tecnología de la información cambiaran, y los subcontrató en masa a EDS.

Cómo lidiar con la deslaborización

Cuando comencé a hablar y a escribir acerca de la desaparición de los empleos, me sorprendieron las reacciones. La primera fue que mi público se dividió:

- Un bando opinó que lo que yo decía era una locura, y que nunca sucedería.
- El otro bando opinó que lo que yo decía era obvio, y que en gran medida ya estaba ocurriendo.

Me di cuenta del significado de esta división durante una sesión de preguntas y respuestas luego de un seminario piloto basado en estas ideas, el cual dirigí en una gran compañía telefónica. Después de que varios participantes argumentaran en ambas posiciones acerca de esta cuestión, un administrador tuvo la última palabra cuando comentó: "Creo que este programa está un poco adelantado a su época, aunque lo necesitábamos desde hace un año". Desde el punto de vista de la situación, estos cambios son como una marejada que está arrastrando el suelo debajo de los pies de los trabajadores de hoy, pero emocionalmente la mayoría de ellos no están listos para lidiar con las implicaciones. Se trata de una situación peligrosa, porque están perdiendo tiempo precioso que debería utilizarse para reconstruir sus carreras. Sólo se podía desear que estos trabajadores tuvieran asistencia de corporaciones, programas gubernamentales, sindicatos, instituciones educativas y agencias civiles. Pero no es así. En este momento, los trabajadores están fundamentalmente solos. Ésa es la razón por la que este libro fue escrito.

La segunda sorpresa fue la forma tan distinta en que se escuchó lo que yo decía. Muchas personas pensaban que yo alababa la tendencia hacia la deslaborización, que yo decía que las empresas deslaborizadas y las carreras que alentaban eran "mejores" que sus contrapartes basadas en empleos, que la deslaborización era "algo bueno" y que la gente y las empresas estarían mucho mejor sin empleos que con ellos.

No es lo que yo quería decir. No pienso que la deslaborización sea algo bueno o malo, simplemente es. Lo que digo es que ocurrieron grandes cambios y que la gente necesita transformar el pensamiento de sus carreras según esta situación. Argumentar a favor de estos cambios sería como argumentar a favor del clima. Estos cambios, al igual que el clima, son parte de la realidad en la que vivimos. Son impulsadas por fuerzas que no se pliegan a nuestros deseos. Al igual que el clima, estas fuerzas influyen sobre nuestras acciones, haciendo que unas cosas sean prudentes, otras no tanto. Si llueve, es mejor que olvidemos el día de campo, sin importar cuánto nos pueda gustar el campo. Si hay una helada, la natación tendrá que esperar.

Estoy hablando de cambios reales (no hipotéticos) que ya están teniendo lugar. No se trata de un vago "futurismo". Estos cambios están transformando el mercado de trabajo de un modo tan seguro como la maquinaria de la industrialización y la economía del capitalismo comenzó a hacerlo hace 200 años. En ese entonces, Adam Smith escribió *Riqueza de las naciones* para demostrar la eficacia de la "división laboral", que es el fundamento del mundo industrializado del empleo. Cuando Adam Smith publicó el libro en 1776, era difícil pensar que los demás quedarían tan profundamente transformados por las disposiciones del trabajo, que en ese tiempo sólo afectaban a una minoría de obreros británicos y a casi ningún trabajador en otros países.

Otra de las reflexiones de Smith, tan significativa como la división del trabajo, fue reconocer que cuando cambia el sistema mediante el cual se realiza el trabajo, también cambian las funciones, valores, sentido de la identidad y arreglos sociales de la gente. Parafraseando un lema de la campaña presidencial de Bill Clinton de 1992, fue Adam Smith quien se dio cuenta de lo siguiente: "¡Son los medios de producción, no se dan cuenta!" Todo esto cambió con la industrialización, y está nuevamente cambiando con los posindustriales que describimos aquí.

El dolor del cambio

El advenimiento de la industrialización provocó inmenso dolor, y su fin también causará lo mismo. El gran filósofo Alfred North Whitehead notó correctamente que "el primer paso de la sabiduría sociológica es reconocer que los principales progresos de la civilización son progresos que destrozan las sociedades en las que ocurren". Aprovechando los conocimientos de las más lúcidas mentes, añadiremos el comentario de Henry Thomas Buckle, el historiador inglés cuya *Historia de la civilización* fue la obra más ampliamente leída de su época:

> Toda nueva verdad que fue propuesta, durante algún tiempo provocó reacciones adversas; produjo incomodidad, y con frecuencia infelicidad; a veces perturbó las sociedades y religiones, y a veces simplemente perturbó viejas y muy queridas asociaciones de pensamientos. Es sólo después de un cierto intervalo, y cuando el marco de trabajo de los asuntos se ajustó a la nueva verdad, que se hacen preponderantes los buenos efectos; [...] pero en un principio siempre hay daño. Y si esta verdad es tan grandiosa como novedosa, el daño que produce es muy grave.

Así, lejos de tener un punto de vista muy optimista de la deslaborización, temo sus profundos efectos y estoy dispuesto a pasar el resto de mi propia carrera ayudando a los demás a prepararse ante ello.

Tomar ventaja de nuestros propios preparativos

La conclusión del presente capítulo será un pequeño inventario de nuestras propias actitudes y suposiciones, consistente en frases que con frecuencia se dicen acerca de la situación contemporánea del empleo. No es un cuestionario, y la meta no es obtener la mayor puntuación. El objetivo es poner énfasis sobre temas en los que usted debe imaginar y pensar en ellos.

Lea cada frase y medite por un momento sobre la manera en que se relaciona con sus propias suposiciones. Ponga una marca en el espacio si antes de leer este libro escuchó algo parecido y si estuvo de acuerdo con ello. Ponga una marca y un signo de más si alguna vez usted mismo llegó a decir algo similar. Y ponga una marca y un signo de menos si nunca oyó decir algo como esto, o si estuvo en desacuerdo cuando se lo dijeron. Luego proceda al siguiente comentario de la lista.

1. Tarda más tiempo en que los buenos empleos "regresen" después de esta reciente recesión, pero así ocurrirá (con el tiempo necesario y una buena política).

2. La principal causa de la pérdida de empleos en este país fue el menor costo de la mano de obra en otros países.

3. Todo es tan sólo el último capítulo de las máquinas que se apoderan de nuestros trabajos.

4. La tecnología de la información es un "solvente" que está haciendo desaparecer los empleos.

5. Pronto terminará la "subcontratación". Además, solamente subcontratan funciones periféricas; no pueden subcontratarse las labores básicas sobre las que se basa una empresa.

6. Estos recortes de empleos son el producto de la codicia corporativa. Si las empresas no fueran tan egoístas, contratarían a más trabajadores y les pagarían buenos sueldos.

7. En el inestable mercado de hoy, estamos relativamente a salvo si contamos con mucha formación académica, especialmente con un posgrado.

8. La fuerza de trabajo "eventual" ahora realiza cuando menos el 25% del trabajo que se lleva a cabo en el país.

9. La desaparición de los empleos en Estados Unidos es distinta a la de Japón y Europa continental, porque en esos lugares existe "el empleo de por vida" y porque tienen redes de seguridad mucho más generosas que las nuestras.

10. Las compañías muy cambiantes se están deshaciendo de los empleos, de forma implícita, cuando no explícita.

11. Si se sabe mucho de computación, la seguridad en el empleo sigue siendo posible.

12. El empleo más seguro a largo plazo será un empleo sindicalizado en una empresa que aparece en la revista *Fortune 500*.

13. El "empleo" es un fenómeno histórico y como tal tiene una expectativa limitada de vida.

14. La fuerza de trabajo basada en empleos es lo que creó la clase media, y la desaparición de los empleos es un enorme retroceso.

15. El núcleo de cualquier plan viable de búsqueda de empleo es prever qué campos se desarrollarán en los años venideros, y prepararnos para obtener un empleo en alguno de ellos.

Ahora les ofreceré mis comentarios sobre cada una de estas frases, con base en lo que vi, oí y leí mientras trabajaba en esta materia.

1. *Tarda más tiempo en que los buenos empleos "regresen" después de esta reciente recesión, pero así ocurrirá (con el tiempo necesario y una buena política).* Ésta es una suposición muy generalizada, especialmente en los círculos políticos. Se confunde el trabajo con el empleo y se subestima la medida en que cambió el trabajo desde el periodo en que los empleos dominaban el mercado del trabajo.

2. *La principal causa de la pérdida de empleos en este país fue el menor costo de mano de obra en otros países.* Ésta es una explicación superficial y mañosa de lo que está sucediendo. "Lo único que necesitamos hacer es evitar esas cosas de bajo costo hechas en países con mano de obra barata." Hay dos problemas con esta interpretación:

a) Como consumidores, todos los días votamos a favor de estas mercancías. Sustituirlas con artículos hechos en el país, más costosos, representa un estilo de vida que detestaría la mayoría de los estadounidenses.

b) Si no dejáramos entrar esas mercancías "extranjeras" (también aquí hay un programa secreto), descubriríamos la misma erosión de empleos en las grandes compañías tradicionales, al perder terreno frente a compañías internas más pequeñas y deslaboralizadas.

50

3. *Todo es tan sólo el último capítulo de las máquinas que se apoderan de nuestros trabajos.* Es indudable que la tecnología es la causa. Pero ésta es la Era de la tecnología de la información; el cambio no es sólo el desplazamiento cuantitativo de una persona que está sobre un tractor que hace diez veces más que una persona montada a caballo. Lo que cambió es la naturaleza misma del trabajo. Aún se necesita hacerse (no nos quedaremos sin trabajo), pero ya no puede dividirse efectivamente en empleos.

4. *La tecnología de la información es un "solvente" que está haciendo desaparecer los empleos.* Esto es verdad. Los detalles están en este capítulo y pueden resumirse en lo siguiente: la tecnología de la información da al trabajador individual muchos beneficios de la organización más grande e integrada, lo que eso acelera enormemente el ritmo del cambio.

5. *Pronto terminará la "subcontratación". Además, solamente subcontratan funciones periféricas; no pueden subcontratarse las labores básicas sobre las que se basa una empresa.* Es poco probable que aumente la flexibilidad, que generalmente reduce costos y que también aumenta la calidad, aunque sea tan sólo una moda. Además, es totalmente erróneo suponer que sólo las funciones menores pueden hacerse fuera de una empresa. Si así fuera, Lotus no habría desarrollado sus muy famosas *Notas* y la empresa Boston Brewing no hubiera sido capaz de producir su premiada cerveza Samuel Adams. Lo primero fue desarrollado por una pequeña empresa dirigida por un ex empleado de Lotus, Ray Ozzie, y la segunda fue destilada en su totalidad por otras cervecerías, siguiendo las especificaciones de Boston Brewing.

6. *Estos recortes de empleos son el producto de la codicia corporativa. Si las empresas no fueran tan egoístas, contratarían a más trabajadores y les pagarían buenos sueldos.* Sí, hay mucha codicia en las empresas de hoy, a todo nivel. Pero si se confiscaran las excesivas ganancias del presidente de la empresa y las dividieran entre toda la fuerza de trabajo, no produciría una gran diferencia en los sueldos. No es la codicia, sino más bien la necesidad de flexibilidad y capacidad de respuesta lo que impulsa a la mayoría de las empresas a abandonar los empleos de tiempo completo y a largo plazo.

7. *En el inestable mercado de hoy estamos relativamente a salvo si contamos con mucha formación académica, especialmente con un posgrado.* Esta suposición no sólo es errónea, sino también peligrosa. Alienta a la gente a no cambiar su punto de vista, sino a pagar demasiado dinero para obtener más títulos universitarios. Éstos son tan comunes actualmente que dejaron de ser importantes, cuando menos en empresas donde el enfoque no está puesto en los requisitos formales, sino en la capacidad para desempeñarse en el trabajo. Y ésas son las empresas que están dejando la antigua actitud "Disculpe, pero usted no tiene una maestría".

8. *La fuerza de trabajo "eventual" ahora realiza cuando menos el 25% del trabajo que se lleva a cabo en el país.* Si sacáramos un total de empleados eventuales, contratistas, empleados de medio tiempo y consultores, la cifra sería ciertamente muy grande. Pero eso es contar árboles y no entender que éstos forman un bosque. El bosque es que todos somos trabajadores eventuales en la actualidad: el empleo de hoy es eventual y se basa en la capacidad del trabajador de producir valor. Ya sé que existen muchas burocracias y situaciones en las que el trabajo está garantizado por contratos, en donde no es necesario producir mucho. Pero están desapareciendo y además... ¿quiere fincar su carrera sobre la base de algo que está desapareciendo?

9. *La desaparición de los empleos en Estados Unidos es distinta a la de Japón y Europa continental, porque en esos lugares existe "el empleo de por vida" y porque tienen redes de seguridad mucho más generosas que las nuestras.* Es verdad que las diferencias culturales son muy importantes en la forma en que se trata a la gente en el trabajo. Pero las fuerzas de lo que llamamos deslaborización están en todas partes. Además, el empleo de por vida (a lo cual nos referíamos en el comentario) está terminándose en todas partes. ¿Quién podría imaginarse que mi primer libro sobre estos cambios, *JobShift*, fuera traducido al japonés? También fue publicado en Brasil, Alemania, Gran Bretaña, Australia, Corea, Francia, Taiwán, Grecia, Holanda e Indonesia. Estos cambios están ocurriendo en todo el mundo.

10. *Las compañías muy cambiantes se están deshaciendo de los empleos, de forma implícita, cuando no explícita.* Sí. No es que no contraten gente, y les den un sueldo, y los pongan en oficinas, donde sus nombres figuren en la puerta. No, es simplemente la noción de seguridad que viene con "tener un empleo" y "cumplir con el empleo", y la idea de que podamos quedar capturados en "una descripción de funciones", son sólo conceptos que antes estaban en el núcleo del mundo del trabajo, pero que ahora desaparecieron.

11. *Si se sabe mucho de computación, la seguridad en el empleo sigue siendo posible.* No hay duda de que la familiaridad con las computadoras es una ventaja en la actualidad, pero si lo único que se necesitara para tener seguridad en el empleo fuera conocer las computadoras, no habría despedidos en IBM, Apple y en cientos de peces más pequeños en la pecera electrónica. Siento mucho decir esto, pero no hay ningún atajo para el valor agregado. De hecho, uno de los caminos más claros para el valor agregado tiene poco que ver con inicializarnos.

12. *El empleo más seguro a largo plazo será un empleo sindicalizado en una empresa que aparece en la revista* Fortune 500. ¿Dónde estuvieron en los últimos años? Las empresas de la revista *Fortune 500*, o cuando menos las compañías más tradicionales del grupo, son ciertamente el núcleo del mundo del trabajo, pero sus fuerzas de trabajo se redujeron desmedidamente desde hace más de diez años. Y dada la gente que quedó atrás en los equipos intercapacitados y interfuncionales (¡y aquí no hay descripciones de los trabajos!), que incluyen a consultores externos y ex empleados que vuelven como subcontratistas, la deslaborización está llegando a la capital del trabajo.

13. *El "empleo" es un fenómeno histórico y como tal tiene una expectativa limitada de vida.* Esto es verdad, y lo necesitamos comprender. ¡Hay tanto de nuestro pensamiento que está basado en el empleo! Necesitamos reconocer que el empleo no es parte de la creación de Dios. Fue producido por un tipo particular de trabajo que necesitaba hacerse, y con esa clase de trabajo ya no hay organizaciones predominantes que contraten, paguen y organicen a la gente para realizar el trabajo, en formas que tienen muy poco que ver con "empleos".

14. *La fuerza de trabajo basada en empleos es lo que creó la clase media, y la desaparición de los empleos es un enorme retroceso.* Como podría suponerlo, no veo que esto sea un "retroceso" (o un avance, si en esas estamos). Pero no es del todo erróneo. Los empleos realmente formaron a la clase media, y la desaparición de los empleos tendrá un enorme impacto, aunque ahora sea imprevisible, sobre las relaciones sociales. Las hipotecas que la clase media utilizaba para comprar casas se basaban en salarios regulares impredecibles. Si esto llega a algo más impredecible, ¿qué pasará con la adquisición de casas? ¡Buena pregunta! Este libro no pretende explicar qué es lo que sucederá con los propietarios de casas, sino cómo procurarle su propio ingreso y un trabajo satisfactorio.

15. *El núcleo de cualquier plan viable de búsqueda de empleo es prever qué campos se desarrollarán en los años venideros, y prepararnos para obtener un empleo en alguno de ellos.* A estas alturas, ya sabe lo que le diré: que el camino está lleno de personas que *a)* intentaron adivinar cuál sería el campo más desarrollado del futuro, y *b)* acertaron pero prefirieron la seguridad en el empleo y quedaron fuera al primer desvío. Esto quizá se haga fastidioso, pero, una vez más: olvídese de los empleos; ¡busque lo que necesita hacerse! Ese trabajo existe en empresas en ramos no tan "populares". Así, olvídese de los empleos y de los ramos... y descubrirá que (sí, Virginia) en *dondequiera hay trabajo que necesita realizarse.*

2. Encuentre el trabajo de su vida mediante sus DATA*

*Nadie nace en el mundo
sin que su trabajo nazca con él.*

JAMES RUSSELL LOWELL,
"A Glance Behind The Curtain"

*Siempre quise ser alguien,
pero debí ser más específico.*

LILY TOMLIN Y JANE WAGNER

El factor interno

En el capítulo 1 hablamos sobre la mitad externa del desafío que cada uno de nosotros afronta para construir hoy una carrera, la necesidad de comprender los cambios que invalidan nuestras suposiciones sobre el trabajo y que vuelven obsoletos a muchos de nuestros planes. Este capítulo versa sobre la mitad interna del desafío, la necesidad de ver y ser capaces de presentarnos a nosotros mismos de un modo nuevo. Estas dos necesidades van juntas, porque son los cambios los que nos fuerzan a comprender de manera nueva qué es lo que podemos ofrecer e inventar nuevos modos de utilizar estos recursos. Ahora bien, la planificación de la carrera nunca fue así. En

---

*DATA es un acrónimo compuesto por Desire (deseos), Abilities (habilidades), Temperament (temperamento) y Assets (recursos o áreas de experiencia). [N. del T.]

la misma forma en que los empleados de antaño podían olvidarse de los mercados en que trabajaban y las organizaciones para las que laboraban, en tanto que comprendieran sus empleos y los cumplieran, también podían olvidarse de comprenderse a sí mismos. Los empleos minimizaban las diferencias entre cada trabajador de manera individual. Lo que usted o yo queríamos era irrelevante. Cada uno tenía talentos que nunca explotaba, pero eso no importaba porque nadie pensaba en realidad que el empleo promedio nos daba una oportunidad de expresarnos. El hecho de que temporalmente fuésemos más aptos para un trabajo distinto al que teníamos... y bien, era una de esas tantas cosas desafortunadas que sucedían en el mundo laboral. La vida no era justa, y específicamente el trabajo no lo era. Nuestros patrones sólo nos pagaban por realizar algunas actividades muy específicas y, en tanto pudiéramos hacerlas, obteníamos nuestro sueldo. Los empleos eran ranuras, cajas, agujeros de palomar. Todo iba muy bien si coincidíamos, pero la compañía no nos pagaba por expresarnos. Los empleos nos exigían seguir un guión que ya estaba escrito.

Pero hoy es distinto. En el mundo deslaboralizado trabajamos sin guiones, añadimos valor como podamos a lo que el cliente obtiene en sus tratos con la organización. Y tampoco es un mundo con jornadas de ocho horas, y que luego nos olvidamos de todo. Cuando se compite con los demás, siempre existe otra persona que le encantaría ocupar nuestras labores y que estaría dispuesta a invertir una hora adicional en ellas. Quizá los trabajadores de hoy no rindan en un mítico 110%, pero, para su consternación, descubren que son medidos con ese parámetro.

Éste es un mundo en donde es mejor que todos hagan aquello para lo que son más capaces, aquello que los motive, lo que vaya mejor con su temperamento y lo que aproveche mejor los recursos que tienen. En este nuevo mercado de trabajo, las organizaciones pagan por obtener resultados, y nosotros somos más como microempresas que venden productos que empleados que cumplen con sus funciones: nuevamente se trata de *Usted, S.A.* Si nuestras microempresas carecen de los recursos para crear y entregar sus productos, a la siguiente vez no podrán hacer negocios. Nuestros clientes pagan por los beneficios recibidos, no por las labores cumplidas.

El aspecto interno de la nueva situación de trabajo es que cada uno de nosotros tiene una combinación única en su tipo de motivación, capacidad, estilo y ventajas incidentales que representan el trabajo que mejor coincide con nosotros, el trabajo para el que fuimos hechos, el trabajo de nuestras vidas. En el antiguo mundo de los empleos esto era igualmente cierto, pero en esencia era irrelevante, puesto que los empleos eran apartados y nos constreñíamos nosotros mismos para poder caber en ellos. Además, luego de que ese primer empleo nos hacía empezar, muchos de nosotros nos vimos en una cinta transportadora vocacional que tenía un destino predeterminado. Las esperanzas, preferencias y talentos eran cosas bonitas, pero no muy prácticas.

En el mundo deslaborizado cobra un enorme significado la verdad de que cada uno de nosotros tiene una vida laboral inherente. Nada menos que hallar lo que usted desearía hacer y qué hará lo motivará y le dará la capacidad que exige el mundo laboral de hoy. Identificar su vida laboral ya no es una fantasía escapista más. Es una condición para tener éxito. Ahora necesita descubrir su vida laboral si quiere tener la oportunidad de crear una vida de trabajo satisfactoria.

Los antiguos requisitos

Cuando debía ocuparse una plaza, se exigían muchos requisitos: un título o certificado, años de experiencia y recomendaciones de alguien cuyo puesto tuviera algún peso. Si no se contaba con esto nos atorábamos. Usted podría pensar que con la escasez actual de buenos empleos la carrera de los requisitos debería ser más difícil, y así es, en lo que a empleos se refiere. Los solicitantes de empleos rebasan el número de plazas en una proporción de 10 a 1, de 20 a 1 y a veces de 100 a 1. Sin embargo, donde la gente halla el trabajo que necesita realizarse y demuestra que los recursos para hacerlo tienen errores, la carrera de los requisitos resulta muy distinta. Donde hay "trabajo por hacerse" y no una "plaza que debe ocuparse", no hay fila de solicitantes. Los clientes con necesidades insatisfechas no se preocupan demasiado por los currícula; lo que les preocupa es cómo resolver sus problemas. Y las preguntas que formulan no son: "¿Tiene usted una maestría?" o "¿cuál es su historial de trabajo?"; más bien son: "¿Qué haría usted para resolver este problema?", o "¿cómo sé yo que usted puede hacerlo?"

Hablemos del tema de la educación. Aunque algunas compañías tradicionales siguen exigiendo un título universitario para dar un empleo, una quinta parte de las mejores microempresas, según la revista *Forbes*, son dirigidas por 200 personas que no estudiaron sino hasta la educación media superior. Microsoft y Oracle se las arreglaron muy bien con sus presidentes "sin requisitos": tanto Bill Gates como Larry Ellison nunca egresaron de una universidad.

La contratación en las compañías tradicionales se centraba en la educación, la experiencia y las recomendaciones. Es notable cuántas empresas, y entre ellas se incluyen los líderes del mercado actual, abandonaron esto en favor de una evaluación muy distinta de los requisitos para realizar el trabajo que se necesita.

Educación

Quizá se deba a que el conocimiento actual es muy efímero y las técnicas que hoy se aprenden se abandonan al día siguiente; o quizá, como Lewis Perelman lo señaló en *School's Out*, que la educación convencional ya no garantiza el aprendizaje, y que el mejor aprendizaje ocurre fuera de las instituciones educativas. O quizá se deba a que las calificaciones y certificados simplemente miden la capacidad de terminar un programa académico. O quizá es que la educación ya es tan común en la actualidad que ya no significa lo mismo que antes. Sea cual sea la razón, la educación significa menos que nunca. Todos necesitan una educación básica, pero un diploma universitario o incluso un posgrado ya no abre necesariamente las puertas del éxito. Conocemos historias de taxistas con doctorados y meseras con maestrías, y decimos: "¡Vaya, esto es una jungla!" Lo que deberíamos decir es que la educación perdió su poder para darnos contrataciones. Lo que antes era una llave relativamente incuestionable para el mundo laboral, actualmente la educación avanzada es cada vez menos garantía en el mundo deslaboralizado.

Experiencia

La palabra experiencia es espinosa. Cuando significa que una persona puede cumplir con una tarea por lo que hizo antes, la "experiencia" puede ser útil. Yo quiero que mi cirujano tenga experiencia. Quiero que el piloto de mi aerolínea transcontinental tenga experiencia. ¿Pero necesito exigir que todos a quienes contrate deban tener experiencia? No, no lo creo. Nordstrom no exige que sus vendedores tengan experiencia. La compañía descubrió que un empleo de ventas en cualquier otro sitio simplemente enseña malos hábitos a un trabajador (posteriormente hablaré de lo que Nordstrom exige, porque demuestra la medida en que la deslaboralización cambió el proceso de contrataciones). Henry Bessemer, cuyo revolucionario descubrimiento hizo posible la fabricación moderna de acero, escribió acerca de su hallazgo: "Tuve una inmensa ventaja sobre muchos otros al tratar con el problema, en tanto que no tenía ideas fijas derivadas de una práctica establecida desde hace mucho para controlar y sesgar mi mente, y no sufrí de la creencia general de que sea lo que sea, debe ser correcto". ¿Las empresas modernas piden experiencia? Con frecuencia no es así —en la práctica—, aunque en sus ámbitos lo hacen sonar de otro modo. La experiencia es un requisito particularmente dudoso durante los periodos de cambios radicales y frecuentes, que son las mismas condiciones que están deslaboralizando a nuestras organizaciones.

Recomendaciones

Y bien, a veces, ciertamente sí podemos hablar con alguien que conozca al solicitante... y si la persona se muestra hábil en la evaluación... y si la persona es franca... y si la persona se toma su tiempo para ser específico... y luego escuchamos a alguien que conozca el trabajo del solicitante, es algo que puede ser útil. Pero con más frecuencia las "cartas de recomendación" de hoy consisten en vagas declaraciones que no incriminan a quien las escribió, evaluaciones que siempre sobreestiman a los solicitantes, pues son recomendaciones que muestran poca comprensión de las labores que se espera que cumpla el empleado.

La educación, la experiencia y las recomendaciones conformaban la base de los requisitos de un empleo, y también las solicitudes. Tenían muy poco que ver con lo que realmente éramos, o con lo que realmente podíamos hacer, pero sobre ello formábamos nuestros currícula. Esto era tan incuestionable que incluso lo utilizábamos para determinar lo que podíamos hacer para ganarnos el sostén. Sin embargo, no es lo que necesitamos para hallar trabajo con *Usted, S.A.*

Los nuevos requisitos: sus DATA

Las prácticas cambian más rápido que los conceptos. La antigua "realidad" vende luego de que deja de explicar cómo se comporta la gente. Así ocurre con las contrataciones. Al estudiar quién lograba ser contratado y por qué, acuñé el acrónimo de DATA para destacar los elementos cruciales del proceso en el modo en que se practicaba. Si usted desea colocarse no como solicitante de un empleo, sino como el más apto para poder hacer algo, el más capaz para resolver un problema o el mejor camino para capitalizar una buena oportunidad, fórmese con base en sus DATA.

D = Deseo

Demuestre (no lo diga, demuéstrelo) que desea la labor más que otras personas que se interesan por ella. Las organizaciones comienzan a darse cuenta que la motivación es la piedra de toque del éxito. Recientemente, Silicon Graphics contrató personal técnico, y una descripción del *Wall Street Journal* sobre sus métodos concluyó que no repararon en las personas con mejores requisitos técnicos, sino en aquellas que demostraron mediante sus actos que deseaban más el puesto.

Es fácil olvidarnos del deseo, o sólo hablar de él. Antes no importaba mucho. Nuestros padres y maestros decían que no importaban cuáles eran nuestros deseos, ¿lo recuerda? No era lo que usted "quería" sino lo que "debía" hacer. Todos los empleos se trataban de "tener que hacer". Los candidatos con mejor perfil eran aquellos que reprimían sus deseos a tal grado que ya no les estorbaban para cumplir con sus empleos. No debe sorprendernos que la gente no tenía en alta estima lo que deseaba, excepto cuando soñaba despierta en un empleo fantástico en la compañía perfecta.

El hecho es que esa situación ya cambió. Usted no sólo será capaz de hacer el trabajo de alta calidad que el patrón de hoy espera, a menos que haga lo que realmente desee hacer. ¡Tan simple como eso!

Lo anterior no quiere decir que si su empleo actual no es considerado como deseable, deba renunciar mañana. El empleo de hoy quizá sea el mejor escenario donde pueda ensayar el siguiente trayecto de su camino profesional. Tenga o no actualmente un empleo, el primer elemento en su plan para una carrera sin empleos es determinar qué es lo que en realidad desea en este momento de su vida.

A = Aptitudes

¿Tiene usted lo que se necesita para cumplir con el trabajo, lograr la tarea, resolver el problema? Es poco probable que sea una pregunta a la que pueda responder con una lista de los empleos que tuvo. Un número cada vez mayor de organizaciones deja de lado la experiencia laboral y pide que se describa cómo se resolvía un problema o se logró un resultado en el pasado. Algunos incluso hacen una versión en tiempo real de las tareas que usted deberá cumplir si lo contratan. *FYI*, una subsidiaria de la revista *Forbes*, buscaba recientemente un redactor. Hicieron pasar a catorce solicitantes al mismo tiempo, y se anunció que se les haría una "audición" para obtener el puesto. La audición consistió en la búsqueda de un tesoro, juego en el que a cada solicitante se le dio una lista de cosas que deberían encontrar, incluyendo

- el mejor precio en Nueva York para la primera edición de una novela de Evelyn Waugh,
- las mejores opciones de ruta en el Caribe para un tipo particular de velero,
- números telefónicos de varias celebridades, los cuales no aparecen en el directorio.

Ésas eran las cosas que un redactor en *FYI* debería hacer posteriormente, por lo cual querían descubrir desde un principio quién era apto para realizarlas. Contrataron al ganador de este juego.

Sus aptitudes no son capacidades técnicas, aunque incluyen (si usted la tiene) la habilidad de aprender rápidamente capacidades técnicas. Son cualidades que utilizó antes, cualidades que posiblemente son la base de la mayoría de las cosas en las que usted se desempeñó bien y casi todos sus logros. No es el resultado del entrenamiento o la capacitación, pues de hecho la mayoría de ellas quizá eran evidentes para las personas reflexivas cuando usted aún estaba en la educación primaria.

Las aptitudes no sólo se utilizan en su forma original, se "reciclan" de diversas maneras durante el transcurso de la carrera de una persona. Jim McCann, director de Teleway y quien desarrollara el servicio mundial de entrega de flores 800-FLOWERS, comenzó su carrera como trabajador social. Un entrevistador le preguntó que si en su actual ocupación aprovechaba algo de lo que hacía antes. Desde luego, McCann dijo:

Cuando se es trabajador social se necesitan capacidades de empresario y luchar contra la burocracia. Realmente es un torneo de lucha: [también] se necesita ser buen equilibrista y obtener distintas cosas y que vayan en la misma dirección o hacia el bien común. Eso es precisamente lo que tratamos de hacer en este negocio, ¿verdad? Se necesitan distintas clases de fuerzas, que se unifiquen para lograr la visión que se tiene y hacer que otros acepten esa visión.

Estoy seguro que esas aptitudes eran claras, ya que McCann sólo estudió la educación primaria.

A menos que usted piense, después de lo que señalamos en el capítulo 1 sobre las compañías de alta tecnología y el mercado laboral, que sus aptitudes necesitan ser dignas de la guerra de las galaxias, permítame hacer una lista de las "diez capacidades básicas para el mercado de trabajo" de acuerdo con el reciente resumen que hizo la Sociedad Estadounidense de Capacitación y Desarrollo:

1. Lectura.
2. Escritura.
3. Computación.
4. Oratoria.
5. Escuchar.
6. Resolución de problemas.
7. Autoadministración.
8. Saber cómo aprender.
9. Trabajar en equipo.
10. Ser líderes de otros.

Con lo anterior no quiero decir que sus capacidades no requieran ser mejoradas. Podría resultar que comenzara a mejorar algunas de ellas. Lo que digo es que usted ya tiene las aptitudes básicas que necesita. No es como si tuviera que comenzar a aprender lituano o programación de computadoras.

T = Temperamento

En las organizaciones donde la capacitación técnica es importante, también lo es el temperamento. Samuel Metters, presidente de una exitosa empresa de ingeniería ubicada en las afueras de Washington, D.C., en cierta ocasión dijo a un entrevistador que sus empleados eran técnicamente competentes, pero que desde hacía mucho tiempo la Industria Metters sólo tenía contratos iniciales para realizar trabajo con el gobierno; seguían perdiendo el trabajo subsiguiente ante otras empresas; sobre esto comentó:

> Recuerdo que presenté una propuesta ante una agencia gubernamental, y vi cómo mis empleados bombardeaban con ideas al representante. Si el gobierno tenía que decidir entre Industrias Metters y una empresa con iguales recursos técnicos, los que tomaban las decisiones elegirían a la otra empresa porque no comprendíamos cómo tratar a los demás... Ahora busco candidatos que tengan... calidez en sus personalidades. Acabo de contratar a una persona cuya proporción de aptitudes sociales contra aptitudes técnicas es de 70 contra 30. Finalmente comenzamos a obtener esos contratos subsiguientes.

Advierta cómo Metters, aunque habla de "aptitudes sociales", no está utilizando la capacitación sino la contratación para tratar el problema. Busca personas con un temperamento distinto ("calidez en sus personalidades") en vez de personas que tengan lo que generalmente llamamos "aptitud".

Muchas compañías consolidadas reconocen el temperamento como de importancia crítica para el éxito. Oímos hablar mucho del increíble servicio al cliente que tiene Nordstrom, y podemos imaginar que este vendedor al menudeo tiene algún sofisticado programa que incentiva esta capacidad en sus vendedores, pero no es así, pues Nordstrom tiene poca capacitación de servicio al cliente. Un representante adjudica la excelencia en el servicio de la empresa al hecho de que "contrata a nuevos empleados fundamentalmente sobre la base de su actitud amistosa". Un consultor que trabajó con este vendedor desde hace tiempo, concuerda con esta evaluación: "Una larga tradición en Nordstrom es contratar a personas agradables a quienes les gusta la gente y que tengan buenos modales". Esto nos hace pensar: ¿cuánta capacitación se necesita simplemente porque las compañías no contratan a las personas con el temperamento apropiado?

A = Áreas de experiencia

Una vez evaluados los diversos grados de deseo, aptitudes y el temperamento subyacente de media docena de candidatos, debe ponerse un factor, hasta ahora no nombrado, por encima del resto. Sus áreas de experiencia son: características, experiencias, recursos o posesiones que les dan una ventaja sobre sus rivales. Estas áreas de experiencia casi nunca son universales, sino más bien ventajas en relación con las exigencias del trabajo que debe hacerse.

He aquí algunos ejemplos. Al leerlos, recuerde que la combinación de características y situaciones significa que literalmente hay millones de cosas que pueden ser áreas de experiencia:

- Haber crecido en una familia donde se hablaba español, camboyano o ruso podría ser un área de experiencia si una organización expandiera su trabajo en el extranjero.
- Tener estudios en geología podría ser un área de experiencia si un nuevo cliente fuera una nueva empresa minera o de perforaciones.
- Pasar un verano organizando el archivo en el bufete de abogados de su tío podría ser un área de experiencia si tuviera un cliente que tratara de hacer reingeniería en sus procesos de trabajo secretarial.
- Tener dinero en efectivo en casa puede ser un área de experiencia si considera dejar su empleo y comenzar su propia empresa.
- Tener mucha formación académica, experiencia o recomendaciones a veces puede ser un beneficio. Yo pude recorrer muchas distancias debido al hecho de que tengo un doctorado, aun cuando tenga muy poca relación con lo que hago últimamente.

Las áreas de experiencia son ventajas incidentales que todos tenemos (si usted se da cuenta que lo son) sólo porque usted es quien es y por la vida que llevó. Sin embargo, tal vez necesite saber algo acerca de su cliente para darse cuenta de que son áreas de experiencia. Digamos que usted trabajó durante tres años para una compañía que quebró y salió de ella antes de que se derrumbara completamente. Usted podría considerarlo como una mancha en su currículum, pero para una organización que se debate en la quiebra podría ser un área de experiencia.

A ello me refiero cuando las áreas de experiencia dependen no sólo de nosotros, sino también de la situación. Son experiencias que dicen algo de nosotros y que podrían ser una ventaja en una situación en particular. Tal vez no sean una "fortaleza", y de hecho podrían ser algo que usted desearía no tener, pero de todas formas pueden ser áreas de experiencia.

Otras cualidades que la gente busca

Mientras más sepamos de nosotros mismos, más posibilidades tenemos de aprovechar lo que podemos ofrecer, por lo que no debemos ignorar la evaluación de ninguna de nuestras cualidades. Pero con el tiempo descubrí que algunas categorías muy populares resultaron ser mucho menos útiles para acercar el producto que se llevará al mercado que en el esplendor de la cacería de empleos.

Tómense como ejemplo los *valores*. Muchos libros que explican cómo hallar empleo contienen largas listas de valores, de donde se supone que deben elegirse aquellos que sean más importantes para nosotros. ¿Es "seguridad" lo que usted necesita o la "libertad de expresión"? ¿Yo siempre quiero decir "ambos"? ¿El "servicio a la humanidad" es más o menos importante en la lista que "ser parte de una comunidad profesional"? Luego está el hecho de que aunque yo le dijera que valoró algunas cosas de modo muy profundo (como las relaciones íntimas), algunas personas que me conocen podrían estar en desacuerdo con mi autoevaluación. Lo mismo respecto a algunos valores que yo diría que no me importan tanto (como "éxito en lo económico"). Tal vez les deberíamos dar el inventario de valores a nuestros amigos para que lo llenen en nuestro lugar.

Los valores son ciertamente importantes en su vida y en la mía, ¡pero son tan escurridizos! Hay valores que se procesan y otros que se ponen en práctica. Existen los valores con los que tratamos de vivir y de los que intentamos alejarnos. Existen valores con los que vivimos en el trabajo y aquellos con los que vivimos en casa, y también está ese maldito valor con el que nos comprometemos totalmente, el cual dice que, por encima de todo, no debemos tener conflictos de valores.

Los valores son realmente escurridizos, sin embargo, mi experiencia me indica que una vez que se conocen las cosas que en verdad se desean, las aptitudes que pueden hacer algunos trabajos más gratificantes que otros y las preferencias que son inherentes a nuestros temperamentos, se cubre la mayor parte de los aspectos en los que los valores ejercen influencia sobre la cuestión de qué trabajo es mejor para nosotros. En pocas palabras, los valores comparten mucho territorio con los DATA. A pesar de ello, si los valores representan a otros muy importantes en el trabajo que usted busca, entonces es de vital importancia que los utilice para que lo guíen.

Lo mismo se aplica a los *intereses*. Se utilizan en muchos sistemas para hallar empleo, pero siempre me paralizo cuando se me pide que haga una lista de mis intereses. A veces encuentro uno o dos, y en ocasiones sé que tengo en mente a todos y cada uno de ellos. Si usted es mejor que yo para ver cuáles son sus intereses, inclúyalos a sus DATA como muestras del trabajo que puede hacer para alguien. Sólo recuerde que lo que trata de definir son los recursos que *Usted, S.A.* puede llevar al mercado de trabajo, y no el empleo que le gustaría tener. Lo que estamos inventariando correspondería a los recursos naturales de un país (¿recuerda los estudios sociales del quinto grado?). Los intereses y valores no me ayudaron mucho cuando traté de definir lo que podía ofrecer, lo que a alguien le gustaría pagarme para hacer, lo que podría conformar en un producto que un cliente me arrebataría.

Luego están las *capacidades*. Ése es un término pegajoso que abarca todo, desde temperamento (las "capacidades sociales" de Industrias Metters que resultaron ser "la calidez en las personalidades [de los solicitantes]", las aptitudes (en esta categoría entrarían las buenas "capacidades de comunicación") y las capacidades técnicas adquiridas mediante la capacitación (la "capacidad" de utilizar aparatos o herramientas electrónicos), que se enlistarían como áreas de experiencia. Si usted naciera con cualquiera de estas cosas, y no sólo se trata de cómo está usted "conectado", entonces lo consideraría una cuestión de temperamento y no una capacidad. Si es un talento que usted tiene desde niño, o una facilidad para cierta clase de situaciones que no todos tienen, lo llamaría una aptitud. Si es algo para lo que usted fue entrenado o que aprendió en el trabajo, entonces lo consideraría "una capacidad", pero, en ese caso, yo lo incluiría en su lista de áreas de experiencia.

El ingreso a una nueva era de autosuficiencia

Una de las razones por las que Estados Unidos está comenzando a aceptar la deslaborización más directamente que la mayoría de los países desarrollados es su tradición individualista. Esta tradición no es un rasgo contradictorio, puesto que propicia que los estadounidenses subestimen la importancia de pertenecer y depender de una comunidad. Pero sí les ofrece algo para defender al aceptar este nuevo mundo en el que las organizaciones e instituciones se están derrumbando. Para expresar la cuestión de manera paradójica, la tradición estadounidense es que no se necesitan tradiciones, por lo que sus héroes siempre fueron gente que hicieron las cosas sobre la marcha.

Dos académicos que estudiaron la literatura del siglo XIX sobre crianza de niños identificó como tema unificador

> la noción de que un niño debe poder, de manera independiente, salir al mundo urbano, capitalizar las oportunidades como se vayan presentando, labrarse una vida para sí que, en una sociedad rápidamente cambiante, podría requerir de distintas labores de las que se exigieron a sus padres.

Contrastando el pasado con el presente, tendemos a imaginarlo como más estable y menos atomista de lo que era. Marvin Meyers, en su estudio sobre la era de Andrew Jackson, escribió: "La figura económica central es... el empresario especulador que olfatea oportunidades distantes y toma prestado o inventa las formas de obtenerlas".

Las prácticas de crianza y las fuerzas económicas forman la médula del escritor más respetado de esta era, Ralph Waldo Emerson, cuya obra más popular se llama (y no por casualidad) "Autosuficiencia". He aquí un pasaje que llegó a tantos y tantos textos de literatura:

Hay un momento en la educación de todo hombre [¡sic!] en que llega a la convicción de que... la imitación es suicidio; de que debe aceptarse a sí mismo para bien o para mal; de que aunque el amplio universo está lleno de bien, ni un solo grano de nutritivo maíz puede llegar a él sino mediante el trabajo que invierte en su parcela, que se le dio a labrar. El poder que reside en él es nuevo en la naturaleza y nadie más que él sabe qué es lo que él puede hacer, como tampoco lo sabe hasta que lo intenta... Confiar en vosotros mismos: cada corazón vibra con una cuerda distinta.

Confíe en usted mismo. Ese mensaje fue enmarcado de tantas formas distintas, pero sea cual sea el contexto sigue siendo un mensaje peculiarmente estadounidense. También es un mensaje fácil de malinterpretar, pues parece ser la racionalización del caos individualista. Pero Emerson no quiso que fuera así; si comprendemos eso podemos hallar mucha utilidad en ello. En nuestro contexto actual, la idea emersoniana de la autosuficiencia forma un marco filosófico para el necesario individualismo del trabajador deslaborizado. Nos recuerda que "la imitación es suicidio" en varias maneras muy importantes: primero, si copiamos a los demás nos obligamos a copiar lo indicado por los requisitos de un trabajo, contravenimos lo que nos hace esencialmente únicos en nuestro tipo, lo cual daña nuestra creatividad. Donde las condiciones de producción requieran de poca iniciativa o creatividad individual, la ganancia en la convencionalización bien puede justificar la pérdida. Pero en el mercado de trabajo actual, las antiguas virtudes de "cumplir con el trabajo" no son suficientes. El núcleo del enfoque de los DATA frente al trabajo, por otra parte, es que el mejor trabajo que puede hacerse ocurre únicamente cuando los trabajadores son ellos mismos y contribuyen con todas sus energías e ideas propias. Segundo, la imitación generalmente se basa en una versión muy simplificada del original, puesto que la complejidad de una acción que proviene del yo es demasiado grande para comprenderla y copiarla. Desafortunadamente, la tan difundida práctica de emular dejó la impresión de que la copia es realmente lo mismo que el original y que las diferencias no importan. Este enfoque es similar a la forma que se desarrolló el fertilizante químico, tomando materiales orgánicos, separándolos en sus principales componentes químicos y luego combinando los componentes con el fertilizante artificial. Los resultados parecen buenos durante un tiempo (en ambos casos), pero gradualmente comienza a ser evidente la ausencia de materia orgánica en el fertilizante químico. La tierra se endurece, se acumulan residuos salinos, las plantas necesitan más del mismo fertilizante que produce los problemas y el crecimiento se debilita. Así sucede cuando "sólo se hace el trabajo". Al principio es interesante, pero con el tiempo lo repetitivo y la artificialidad de lo que hacemos se acumula y nos sentimos debilitados. Mientras más estilizada o "diseñada" sea la conducta del empleo, el problema empeora.

Tercero, la imitación confunde el resultado con el proceso. Podemos aprender mucho observando cómo otros encaran una situación, pero copiar el resultado de ese enfoque produce un trabajo sin vida y sin utilidades. Actualmente circula una historia acerca de una sucursal europea de una compañía de computadoras de Estados Unidos que turnó a los trabajadores mismos el rediseño de los espacios de su oficina central. Los resultados fueron no sólo excelentes, tanto funcional como estéticamente, sino que el proyecto mismo infundió una enorme sensación de orgullo y espíritu en el grupo. Los europeos invitaron a otras sucursales de la empresa a hablar con los trabajadores, con la esperanza de que ocurrieran en otras partes proyectos similares de diseño autosuficiente. Pero descubrieron, asombrados, que a los visitantes no les interesaba el proceso que fue el núcleo de todo el ejercicio, ¡sólo querían los planos de la nueva disposición para que pudieran copiarla!

Cuarto motivo, la imitación hace mucho menos probables las mejoras y los descubrimientos revolucionarios. Barry Diller, ejecutivo de televisión y de Hollywood, demostró esto de manera muy reveladora cuando habló de su estadía en la productora Paramount, cuando era la productora de Hollywood menos importante, a la que llegaba un guión cinematográfico sólo después de que los demás estudios lo rechazaran. Reflexionó lo siguiente:

Quizá es importante no... obtener lo que todos los demás piensan que es el mejor material. Quizá nadie sabe qué es lo mejor. Quizá lo mejor proviene de hacer nuestra propia elección, en sus méritos y no en su genealogía. Tal vez es mejor sentirse incómodo y quedarse a solas para vencer en lo que podemos armar con base en nuestro propio juicio.

Diller hablaba sobre cómo la sabiduría convencional produce sólo imitaciones de los éxitos del ayer, y se pierde completamente lo insólito y lo novedoso. En este caso, dentro del montón de imitaciones de tercera clase, llegó a su escritorio la película *Saturday Night Fever*, la que provocó que la Paramount volviera a cobrar importancia.

Quinto, la imitación siempre juega a las carreras. En el momento en que usted copia algo, los demás hacen lo mismo y ya está pasado de moda. Esto es real en las compañías, así como en las "microempresas" que usted y su carrera formarán. Es aún más verdadero porque las compañías grandes y veteranas tienen ciertos ímpetus y les lleva tiempo antes de que su falta de creatividad y flexibilidad los haga estancarse. Pero con *Usted, S.A.* copiar le hará imposible avanzar. Aunque eso no fue un problema, porque sus DATA son únicos en su tipo. Sólo necesita encontrar necesidades reales, que abundan en un mercado rápidamente cambiante, y examinarlas de tal manera que mejoren lo que el cliente hace.

Finalmente, la imitación puede costarle el alma. Realmente, el gran teólogo judío Martin Buber encontró la historia de Rabi Zosya, quien a veces era criticado por su comportamiento poco convencional. Sus colegas rabinos se reunieron con él y argumentaron que no había otra alternativa que seguir la ley de Moisés y las tradiciones de los mayores. Zosya los escuchó cuidadosamente y luego replicó tristemente: "Pero cuando me reúna con Dios en los cielos, Él no me preguntará: ¿Por qué no fuiste Moisés?, sino que me preguntará: ¿Por qué no fuiste Zosya?"

Es con este espíritu de autosuficiencia inteligente como el trabajo que está sustituyendo al empleo puede ser una excelente fuente de desarrollo individual, de la autorrealización que algunas tradiciones llaman *individuación*. Este proceso de "convertirse en lo que realmente somos" no sucedería en el empleo tradicional, pero tampoco ocurrirá en el narcisista mundo del autoengrandecimiento que caracteriza a algunas nuevas empresas. Es más probable que la *individuación* surja en el proceso de aprovechar nuestro propio talento (nuestros DATA, si se prefiere) y templándolo en el fuego de las situaciones que se enfrentan en el mercado de trabajo real. Eso es posible hoy en día de una forma en que nunca antes lo fue.

Resumen

En este capítulo presenté los DATA. Y para confirmar la comprensión básica de éstos, haga este breve ejercicio: lea la siguiente lista de lo que los distintos candidatos traen en su búsqueda de trabajo; codifique cada una según la categoría DATA más apropiada:

D-Deseo **Ap**-Aptitudes **T**-Temperamento **Ar**-Áreas de Experiencia.

Al final de la lista, verá la forma en que yo lo clasificaría.

1. Tengo buenos conocimientos de español.
2. Trabajo bien con los menores.
3. Obtener la porción que me corresponde es muy importante para mí.
4. Soy obstinado frente a los obstáculos.
5. Quiero comenzar a ahorrar para mi jubilación.
6. En la universidad llevé algunos cursos de economía.
7. Tengo conocimientos de lenguaje de programación avanzada de C++.
8. Desde mi primer empleo conservo una agenda de amigos, colegas y conocidos.
9. Todo lo que se trate de números es muy fácil.
10. Mi padre conoce al gobernador de este estado.
11. Me gustaría ser reconocido públicamente por lo que aporto.
12. Necesito reservar más tiempo para estar con mis hijos.

13. Yo puedo ser muy organizado.

14. No sé de donde vino esto, pero de algún modo me las ingenio para saber qué anda mal en una computadora cuando no funciona.

15. Tengo una memoria fotográfica.

He aquí cómo los clasificaría.

1. **Ar.** Usted podría discutir que la facilidad de idiomas es aptitud, pero las aptitudes tienden a ser características innatas. Las áreas de experiencia se adquieren o se desarrollan.

2. **Ap.** El buen trato con los niños me parece justo lo opuesto, algo que viene de forma natural, aunque puedo entender por qué lo llamó un área de experiencia.

3. **D.** Esta pregunta es capciosa, porque no incluye la palabra "deseo" o "querer", pero obtener la porción justa es realmente lo que usted desea, ¿verdad? Si designó a esta cualidad un temperamento, supongo que yo no lo discutiría.

4. **T.** Sí, es temperamento.

5. **D.** Ésta fue otra pregunta fácil.

6. **Ar.** Si dijo aptitud, su composición genética es muy sofisticada.

7. **Ar.** Una vez que capta bien los DATA, puede entender las cosas muy rápidamente.

8. **Ar.** Por lo visto, aquí hay toda una ronda de área de experiencia.

9. **Ap.** Ésta es una aptitud. Algunos la tienen, otros no.

10. **Ar.** Quizá usted podría obtener de esta relación un beneficio para su propio provecho.

11. **D.** Podría discutir que buscar reconocimiento del público es parte de su temperamento, o así lo supongo, pero como está formulado aquí, es algo que se desea.

12. **D.** Pasar más tiempo con sus hijos es algo que usted realmente quiere, ¿verdad?

13. **T.** En tanto que las capacidades organizativas pueden ser un área de experiencia en el sentido cotidiano, son parte de nuestra composición psicológica, ¿o no?

14. **Ap.** Sí, sé que usted no nació con instinto técnico, pero es algo que le llega de forma natural.

15. **Ar.** Si usted quiere decir que ésta es una aptitud (aunque es algo que usted tiene, no lo que hace) o que sea parte de su temperamento, yo no lo discutiría mucho; sin embargo, como autor de este libro, diría que es un área de experiencia. Supongo que imponer las cosas de esa manera habla de mi propio temperamento.

Segunda parte

Extraiga sus DATA

No te comprometas, mi vida.
Tú eres todo lo que tienes.

JANIS JOPLIN

Mostrarle cómo extraer sus DATA es uno de los objetivos de este libro. Estos DATA son la materia prima con la que trabajaremos. En la tercera parte examinaremos la otra sección de la ecuación: las necesidades no satisfechas en algunos mercados que sus DATA le permitirán satisfacer. Pero antes de que pasemos a la cuestión de su mercado, necesitamos ir más allá de la idea de éstos y entender lo que esa idea representa en su propio caso. Queremos llevarlo por el proceso de autoevaluación, y no sólo describir los resultados. El capítulo 3 ayudará a identificar qué desea en este momento de su vida; el capítulo 4 le servirá para definir sus aptitudes esenciales; el capítulo 5 le será útil para describir su temperamento y el capítulo 6 le ayudará a determinar sus áreas de experiencia. Como los elementos químicos, estos recursos pueden combinarse en incontables "productos" para responder a varias necesidades insatisfechas en el mercado que usted elija para trabajar.

3. Deseos: por qué debe hacer lo que quiere

Una intensa pasión por cualquier objeto
nos asegurará el éxito,
porque el deseo de alcanzar el fin
nos mostrará los medios.

WILLIAM HAZLITT,
"On Manners" (Acerca de los modales, 1819)

Nuestro mundo es donde los demás
no saben lo que quieren y están dispuestos
a pasar por el infierno para saberlo.

DON MARQUIS

"¡No me importa lo que usted quiere!", dijo el jefe

Como primera impresión, la idea de basar su futuro en lo que usted desea suena más bien ingenuo. Todos tenemos largas historias sobre lo que se nos dijo que el trabajo exige de nosotros, de que necesitamos ahorrarnos lo que queremos para hacerlo en los fines de semana, y que si la gente hiciera sólo lo que le gusta hacer no se haría ningún trabajo.

La idea de que el deseo es una guía poco confiable se remonta a nuestra infancia, cuando nuestros padres nos decían que era *egoísta* hacer lo que deseábamos, de que éramos demasiado chicos para saber lo que queríamos, que los deseos eran *indulgentes* (o incluso *pecaminosos*), o de que sólo se pensaba que queríamos *matar* a nuestro hermano o acostarnos con nuestra novia. Los deseos y lo que queríamos hacer son vistos con sospecha por nuestra cultura.

Por qué los deseos crean efectividad

En tanto que los medios de producción tan favorecidos por nuestra economía involucraran empleos fijos y unidades de trabajo muy entrelazadas, el deseo era demasiado impredecible como para formar la base del trabajo. La única manera en que ese deseo podía figurar en la selección del empleo era con la suerte. Los empleos no se basaban en lo que las personas querían, excepto en esas pocas a quienes se les pagaba por actividades que el resto de nosotros conocíamos sólo como gustos o diversiones: jugadores de beisbol, cantantes, pintores y similares. ¡Y vaya que tenían suerte!

Ya señalamos antes que las actividades de trabajo se dispersan en "paquetes" (definidos por los resultados que se necesitan) que pueden pasarse a los trabajadores que no necesariamente son empleados, por lo cual esta desestructuración del trabajo se lleva a cabo en un contexto de extrema competencia. También observamos que tales situaciones, la forma en que se hace el trabajo, en términos de horas, lugares o clasificación de trabajadores, importa mucho menos que el hecho de que los trabajadores están sumamente motivados para mantenerse activos en las labores que necesitan realizarse.

En esa situación, la diferencia entre trabajadores que *desean* cumplir con el trabajo y aquellos que no puede ser la diferencia entre trabajo de alta calidad y de baja calidad; trabajo hecho aprisa y trabajo que se adelanta a lo programado; trabajo que halla soluciones a problemas y trabajo que desfallece cuando se topa con problemas. Como lo dijo la novelista Willa Cather: "Hay sólo una gran cosa: deseo. Y ante éste, cuando es muy grande, lo demás es muy pequeño".

La cuestión es que no necesariamente cuando conocemos nuestros deseos los obtendremos. Ése es uno de los lugares comunes del movimiento New Age, que dejó a mucha gente con la sensación de que el mundo debe más de lo que ellos deben aportar al mundo. La verdadera cuestión es que el deseo es un motivo demasiado poderoso para ignorarlo cuando se busca capitalizar las oportunidades que crea la deslaboralización. Pero el deseo no sólo representa una poderosa fuerza motriz, sino que también nos permite crear algunas de las demás condiciones del éxito que describimos como nuestros DATA. El filósofo y estibador Eric Hoffer tenía ese rasgo creativo del deseo en mente cuando escribió: "Se nos dice que el talento crea sus propias oportunidades. Pero a veces parece que el deseo intenso crea no sólo sus propias oportunidades, sino sus propios talentos".

Identificando sus deseos

Cuando se reflexiona por primera vez sobre la pregunta de lo que deseamos, es muy probable que nos sintamos abrumados con todas las respuestas posibles:

1. Ser propietario de un BMW.
2. Pasar más tiempo con mi familia.
3. Bajar ocho kilos.
4. Matar a mi jefe.
5. Agradar a mi jefe.
6. Agradar a mi pareja.
7. Ser estrella de cine.
8. Terminar el reporte a tiempo para llegar a cenar a casa.
9. Escalar el Monte Everest.
10. Dormir mañana hasta el mediodía.
11. Ganarse diez millones en la lotería.
12. Hacer algo por los desposeídos.
13. Trabajar en labores más creativas.
14. Ver lugares nuevos.
15. Pasar más tiempo en casa.

Esto, por decirlo diplomáticamente, es una mezcolanza. Lo primero que debe hacerse es una lista de todas ellas para saber cuáles son realmente nuestros deseos. No puede hacerse mucho más sin esto, así que siga el...

Primer paso

Escriba todo deseo que se le ocurra. No se sienta apenado por los deseos tontos o imposibles. Haga una lista de ellos, pero no de manera forzada. Cuando se sienta cansado o que está haciendo las cosas sólo para alargar la lista, deje de escribir y ponga a un lado la lista. Luego regrese a ella uno o dos días después; vuelva a leerla y añada cualquier cosa que se le ocurra.

Segundo paso

Clasifique la lista. Ponga una *D* junto a todo aquello que *desee* de modo verdadero y activo.

Ponga una *A* junto a aquello que sean simplemente *anhelos*.

¿Cuál es la diferencia? Y bien, todo eso de ser estrella de cine, escalar el Everest y matar a su jefe son anhelos, al menos para la mayoría de nosotros, aunque para un actor, un montañista y un psicópata, respectivamente, podrían ser deseos. Un anhelo es aquello que me gustaría que sucediera, aunque no estemos dispuestos a realizar lo que se necesita para obtener un resultado. Como dijo una vez el crítico Alexander Woollcott: "La mayoría de nosotros no desperdiciaríamos la mitad de nuestra vida anhelando cosas que podríamos tener si no nos pasáramos la vida anhelándolas".

Un *deseo* es distinto. Quizá nunca consideramos con seriedad nuestros deseos, quizá incluso sentimos miedo de examinarlos, porque es un poco embarazoso admitirlos, o parece como si lograrlo requiriese de un enorme esfuerzo, tal vez lo suficiente como para desordenar nuestras vidas, al menos en la forma en que ahora existe. Pero, al reflexionar en lo que deseamos, comenzamos diciéndonos a nosotros mismos: "Realmente debo admitir que deseo eso en particular". Por ejemplo, quizá escribió "ser comediante". Podría decirse usted mismo que se trata tan sólo de un anhelo, porque es demasiado descabellado que una persona con un empleo fijo comience a contar chistes para ganarse la vida. Pero quizá usted frecuenta los bares desde hace años. Leyó libros de sus cómicos favoritos, anotó unos cuantos chistes propios, en alguna ocasión subrayó en el periódico un anuncio sobre un curso de teatro. Ésos son indicios de que ser cómico es realmente uno de sus deseos. Quizá no sea tiempo para un cambio inmediato de carrera, pero anótelo en su lista de deseos.

Posiblemente aún no sepa cómo realizar un deseo, pero representa lo que usted podría buscar si supiera cómo hacerlo. Usted no sólo desea que venga su hada madrina y ponga su varita mágica en su cabeza. Realmente quiere que las cosas sucedan, si puede hacerlo. Los deseos son el preludio a proyectos que cambian radicalmente nuestras vidas. Como lo dijo el poeta Audre Lorde, "nuestras visiones comienzan con nuestros deseos".

Tercer paso

Copie sus deseos en una sola lista (*D*), agrupando todo aquello que parezca estar relacionado, por ejemplo, "manejar un convertible" y "vivir en un departamento más grande" podrían estar relacionados. Al hacer esto, quizá reconozca deseos subyacentes como tales y que siguen la línea de los ejemplos anteriores, "disfrutar de más lujos". Sus deseos específicos son como ramificaciones de los deseos más profundos y fundamentales. Añada éstos al final de la lista y márquelos con un asterisco para recordar su importancia; también marque cualquier otra cosa de su lista que le parezca particularmente significativa o urgente.

Cuarto paso

Ahora vuelva a la lista de anhelos (*A*), es decir, la lista original sin los deseos. Considere estas cuestiones una por una, asimismo pregúntese qué deseo (si lo hay) subyace a cada anhelo. Por ejemplo, ser estrella de cine: ¿qué es lo que hace al estrellato cinematográfico tan atractivo?

- ¿La fama?
- ¿Dinero a montones?
- ¿Ser admirado por millones de personas?
- ¿Tener citas con sólo tronar los dedos?
- ¿Ir a las fiestas de Hollywood y conocer a gente famosa?
- ¿Tener una oportunidad de expresarse en forma artística?
- ¿Una manera de explorar otras identidades?
- ¿Alguna otra cosa?

Cuando sepa la respuesta, piense en ese momento. Pregúntese por qué le atrae. ¿Es un deseo real o se trata tan sólo de un anhelo soterrado bajo otro anhelo? Si es lo último, pregúntese nuevamente por qué se siente atraído por eso. Tal vez tenga que preguntar por qué un par de veces para llegar al verdadero fundamento de un deseo real. Cuando llegue hasta el deseo, añádalo a la lista que ya preparó.

¿Y qué con las "necesidades"?

Tal vez sienta que todo sobre los deseos y anhelos está fuera del tema. Valdría la pena considerarlo en alguna vida más agradable y fácil, pero en ésta tenemos "necesidades", con muchas exigencias y obligaciones. Quizá tenga una enorme hipoteca, hijos por ingresar a la universidad o que necesitan entrar a la guardería (o ambos), o una condición médica que descarta cierto tipo de empleos. ¿No debería descartar los deseos y comenzar a hacer un inventario de sus necesidades?

No lo creo. Siempre podemos considerar estos factores limitantes cuando tenemos una imagen más clara de nuestros recursos. Después de todo, éstos son la materia prima con la que construirá el trabajo de su vida. Necesita identificar esa vida laboral antes de adaptarla a las condiciones de su vida actual. En otras palabras, nadie le paga a la gente en la actualidad para resguardar sus propias necesidades. Además, algunas de éstas quizá ya siguieron el camino hasta sus deseos: "Quiero ganar suficiente dinero para que mi hija entre a esa escuela especial... quiero encontrar un trabajo que me permita estar de vez en cuando con mi abuela enferma".

Tal vez exista otra razón más importante para enfocarse en los deseos y no en las necesidades. El deseo es una fuerza activa. Es el impulso que hay tras nuestros DATA, reside en nosotros; nos hace iniciar cosas; que nos sobrepongamos a las barreras; hace que las cosas sucedan, atrae a la "suerte", nos mantiene en movimiento y nos hace volver a la tarea después de que algo sale mal.

Las necesidades, por otra parte, se basan en aquello que nos falta. Son negativas y pasivas, porque en tanto la necesidad ("se me acabó la comida") se convierte en deseo ("¡quiero comer algo!"), no necesariamente desemboca en la acción. Además, las necesidades siempre nos conducen a una actitud infantil. Bajo la expresión de una necesidad nuestra siempre está implícito que en alguna parte, de algún modo, algún padre sustituto vendrá con nosotros y hará que todo funcione bien. Es fácil que el "necesito..." adquiera un tono de queja. En realidad es más una súplica que una afirmación. El "quiero..." es más sólido y podría desembocar en alguna acción, con más probabilidades de obtener resultados.

Aprendiendo más acerca de sus deseos

Método uno

Con círculos en blanco, como los que aparecen en la siguiente página, haga dos gráficas de círculos:

- 1A: muestre el tiempo que actualmente dedica a distintas actividades durante sus horas de trabajo, demostrándolas como rebanadas de pastel, según el tiempo que ocupe.
- 1B: muestre el tamaño de sus actividades en su trabajo respecto a otras actividades en su vida.

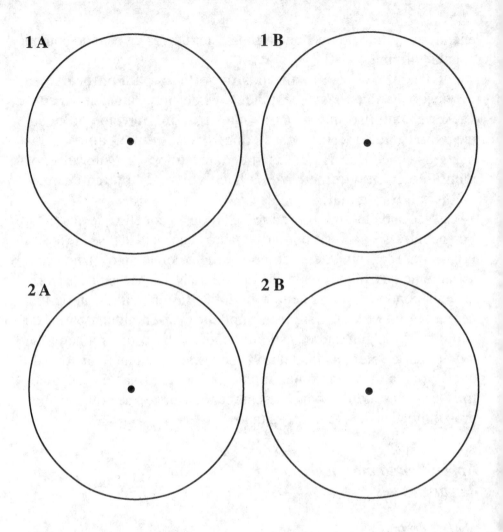

1 A

1 B

2 A

2 B

Ahora haga gráficas parecidas en los círculos 2A y 2B, el primero en la forma en que usted quiere pasar su tiempo de trabajo y el segundo en la que podría distribuir el trabajo y las actividades no laborales.

Una vez terminadas las cuatro gráficas circulares, guárdelas durante uno o dos días; luego vuelva a ellas e imagine que son fotografías o radiografías de su situación. Estúdielas durante un tiempo y observe qué pueden decirle. Podría ver, por ejemplo, que las partes de su trabajo que significan algo para usted están concentradas en una fracción minúscula del día, o que usted pasa demasiado tiempo en algo que realmente no necesita hacer. Al graficar el balance entre las horas de trabajo y las horas libres (sobre todo si es sincero con el tiempo que pasa en casa trabajando), le sorprenderá cómo el trabajo se apodera de su vida. ¿Cómo quiere distribuir su tiempo entre el trabajo y su tiempo libre? En el trabajo, ¿qué es lo que más le gusta hacer? Una vez hecho esto, ¿descubrió si tiene algún nuevo deseo que desee añadir a la lista?

Método dos

Tome una hoja de papel y divídala verticalmente en dos columnas, escriba en ellas las palabras CONSERVAR y DESCARTAR, respectivamente, como se muestra en la siguiente página. Haga una lista en la columna izquierda de todos los aspectos de sus actividades laborales actuales, incluidas las responsabilidades domésticas, familiares y voluntarias si actualmente no trabaja a cambio de un sueldo, y qué le gustaría conservar. No escriba cosas tan específicas como la "contabilidad", "contestar el teléfono" o "hacer la limpieza".

Haga una lista de palabras que describan los procesos de trabajo subyacentes: "controlar gastos", "ayudar a la gente para que lleguen a otros con quienes quisieran hablar" o "meter algo de orden en nuestras vidas". Luego de hacerlo, llene la columna derecha con cosas que actualmente hace y que le encantaría dejarlas.

De nuevo guarde estas listas durante un par de días y luego véalas con una nueva perspectiva. Si fueron escritas por otra persona, ¿qué opinaría de lo que dicen dichas listas sobre los deseos de esta persona? Añada los nuevos deseos que descubra.

Método tres

Analice la siguiente lista de formas en las que diferentes personas piensan y se benefician de sus trabajos. Ejercen influencias sobre la manera en que difieren los deseos relacionados con el trabajo. ¿Cuáles son las tres principales formas en que se relaciona con su trabajo? Señálelas.

CONSERVAR	DESCARTAR

1. *Trabajo como ingreso.* Es un medio para obtener un fin. ¿Realmente desea dinero o las cosas que el dinero consigue o la satisfacción que brinda tener dinero, o el sentimiento que proviene del hecho de ganar dinero? Si el trabajo como ingreso es una de sus tres prioridades, trate de ser más explícito en los deseos que están tras el deseo de obtener más ingresos.

2. *Trabajo como actividad.* Algo que lo mantiene ocupado y concentrado. ¿Qué hay en este trabajo que produce tal efecto? ¿Es la actividad misma o escapar de la inactividad (o los problemas de la vida)? ¿Cuál es el deseo subyacente?

3. *Trabajo como autoactualización.* Una forma de expresar (o incluso de descubrir) quién es usted. ¿Qué hay en el trabajo que lo pone en contacto con usted mismo o le revela quién es realmente? ¿De qué forma su carrera representa una serie de "yos" que se desarrollan progresivamente? ¿Cuál es el deseo que representa este motivo de trabajo?

4. *Trabajo como comunidad.* Una forma de estar con sus amigos y colegas. ¿Qué es lo que comparte con ellos? ¿Qué es lo que genera estar juntos? ¿Cuál es la suma que es mayor que las partes? ¿Y cuáles son los deseos que satisface este sentimiento de pertenencia?

5. *Trabajo como contribución.* Una forma de "añadir a un campo de conocimientos" o "mejorar el mundo", o incluso "contribuir" como miembro de su sociedad o de la raza humana. Quizá estas frases no sean las adecuadas. Formule con sus propias palabras lo que desee contribuir mediante su trabajo y ¿a qué fin quiere contribuir?

6. *Trabajo como estructura.* Una forma de dar forma a sus días y años. En su nivel más simple, ver el trabajo como una forma de estructurar su vida le da un marco de trabajo para mantener las cosas unidas. En su forma más complicada, la estructura de trabajo puede convertirse en un ritual o en todo un arte que tiene gran significado para usted. ¿Cuáles deseos suyos están relacionados con la estructura?

7. *Trabajo como hogar.* Una forma de obtener un lugar donde se sienta en casa. Si el trabajo resuelve este objetivo, experimentará el regreso al trabajo como "estar en casa". Cuando estamos trabajando es cuando más cerca nos sentimos de nuestra identidad. El del traba-

jo es un lugar al que "pertenecemos". ¿Qué deseos están relacionados con estos aspectos del trabajo?

8. *Trabajo como competencia.* Una forma de sentirse valioso, de sentirse bien, o de sentirse por encima de todo, independiente, experto, capaz, con control, o ser bueno en algo. ¿Qué deseos asocia con este tipo de sentimientos?

9. *Trabajo como placer.* Una actividad que es placentera por sí misma. ¿Cuáles son, específicamente, las actividades involucradas con el trabajo que le dan placer? ¿Qué aumenta su placer o lo disminuye? ¿Qué deseos están asociados con estos goces?

10. *El trabajo como un juego.* Un deporte competitivo o actividad con reglas en los que el éxito se asemeja al triunfo de un partido de tenis o un juego de *bridge*. Las características de esta orientación son "el oponente", "ganar", "mantener la puntuación" y "desempeñarse bien". ¿Qué deseos confluyen en esta categoría?

Método cuatro

Piense en sus primeros años en la escuela, primer año, segundo o tercero. ¿Qué es lo que le encantaba hacer? ¿Cuáles eran sus temas favoritos? Si tenía una hora libre, ¿qué es lo que hacía? ¿Qué libros, películas y programas de radio o televisión le gustaban? ¿Qué es lo que más le gustaba hacer en su cumpleaños? ¿Cuáles eran sus pasatiempos cuando estaba solo? ¿Qué es lo que más le gustaba hacer con sus amigos en las vacaciones o fines de semana? ¿Qué soñaba ser cuando fuera grande? Después de pensar en estas preguntas, ¿cuáles eran los deseos de ese niño que usted fue?

Método cinco

Responda a las siguientes preguntas:

1. Si dejara tras usted un logro personal, ¿cuál sería? o, si es más natural pensarlo de este modo, ¿cómo le gustaría ser recordado?

2. ¿Cuáles son los mejores momentos que tuvo en su vida (y como pueda defina *mejor*) y cuáles las experiencias que caracterizan tales épocas?

3. ¿Cuáles son las situaciones de su vida en las que se sintió más vivo, con más energía, con más propósitos y más comprometido con lo que hacía?

4. ¿Cuál es la parte de usted mismo con la que no tuvo el tiempo, valor o la oportunidad de vivir?

5. ¿Actualmente qué es lo que más ansía en su vida?

6. Si fuera atropellado el día de mañana por un camión, ¿qué es lo que quedaría inconcluso en su vida?

7. Qué es lo que le gustaría ser y hacer en esta tierra?

Ahora bien, pensando en lo que pasó por su mente al considerar estas preguntas, ¿qué podría responder de los deseos que tiene en este momento de su vida?

Método seis

Revise los resultados obtenidos en los cinco métodos de análisis anteriores:

- Las gráficas.
- Las listas conservar y descartar.
- Las diez categorías "trabajando como..."
- Lo que deseaba cuando era niño.
- Las siete preguntas.

Imagine que es un consultor que busca indicios de lo que esta persona (es decir, usted) realmente desea. No se preocupe si piensa que está encajonado; no hay regla que diga que los deseos no pueden cambiar con el tiempo. Pero estos ejercicios deben ayudarle a captar lo que realmente desea en este momento.

Sus deseos son definitivos

A la luz de lo que leyó y escribió, ¿cuáles son las diez cosas (más o menos) que realmente desea en estos momentos de su vida? Esos deseos serán el contenido de la *D* de sus DATA, así que formúlelos con la mayor claridad posible.

4. Aptitudes: ¿para qué es usted más capaz?

La mayoría [de la gente]
violenta sus actitudes naturales,
y de este modo no obtiene superioridad en nada.

BALTASAR GRACIÁN,
El arte de la sabiduría mundana (1647)

Ustedes [los directores generales]
por lo visto tienen mucho que decir acerca de
[quiénes son los mejores trabajadores].
Pero en todo este tiempo que estuvieron hablando
no escuché que ninguno de ustedes dijera
algo de necesitar una maestría,
o siquiera mencionar la palabra
"formación académica".

Un asistente a una reciente conferencia
de empresas en Internet,
realizada en Washington, D.C.

Eso es porque la formación académica
no tiene ninguna importancia.

RAÚL FERNÁNDEZ,
director general de la empresa de
diseño de páginas para Internet Proxima, Inc.

La trampa de los requisitos

No existe aspecto del mercado de trabajo moderno que sea tan intimidante, tanto para el novato como para el veterano, como los requisitos necesarios para obtener un empleo. Antes de la segunda guerra mundial, un diploma de la preparatoria era suficiente para obtenerlo. Luego millones de personas obtuvieron títulos universitarios y elevaron el nivel de los requisitos. Cuando estos profesionistas del periodo de la posguerra tuvieron sus propios hijos, parecía como si hubiesen adquirido los mensajes de formación académica durante su lactancia, y después de que infinidad de personas de la siguiente generación fueron a la universidad, ingresamos a un mundo donde una licenciatura ya no tenía ningún sentido.

Esta espiral educativa inflacionaria, creada por la demografía del Estados Unidos contemporáneo, se intensificó por la revolución de los conocimientos. Parecía como si de la noche a la mañana no bastara con una maestría, sino que también se necesitaba tener conocimientos en computación, en bases de datos e Internet, así como las prácticas de negocios que estos nuevos productos hicieron posible. Especialmente durante la recesión, a principios de los años noventa, la mayoría de las personas conocía a alguien con mucha formación académica que no podía obtener un empleo porque —así decían— no tenía conocimientos de alta tecnología.

Generaciones enteras de trabajadores que tenían buenos puestos, que recibieron buenas evaluaciones o que recibían ascensos con satisfactoria regularidad, de pronto se les dijo que ya no los necesitaban. La gente decía tristemente: "Supongo que no tengo las capacidades que se necesitan hoy en día", o "todos estos muchachos nuevos vienen con títulos en ciencias de la computación o maestría con una especialización en finanzas internacionales. Esas materias ni siquiera las enseñaban cuando yo estaba en la universidad".

Es fácil ver cómo estas personas piensan que se trata tan sólo de otra alza de nivel de los requisitos educativos para los empleos. "Dentro de poco ya no permitirán el ingreso si no se tiene un doctorado en redes de computadoras dispersas y dominar alguna lengua asiática." Pero estos puntos de vista son erróneos, porque los antiguos requisitos no están aumentando, sino más bien cambiando. Raúl Fernández, el director general citado en el epígrafe de este capítulo, dijo también que la gente que su compañía contrata son aquellos con "un buen núcleo de talento". Tras contratarlos, la empresa les proporciona un mentor que pueda darles apoyo y guiarlos mientras aprenden sobre la marcha. "Sea cual sean los conocimientos que traigan los recién contratados", añadió, "serán obsoletos en seis meses si no reciben una educación continua".

No podemos dejar de insistir en esto: los requisitos no sólo se elevan de nivel, sino que cambian radicalmente. Lo anterior es más evidente en lo que se refiere a formación académica y capacidades. Los títulos, años de escolaridad, maestrías, capacidades técnicas o profesionales tradicionales, todo esto ya importa poco. Conforme las organizaciones se reinventan a sí mismas, dejan de ser colecciones de especialistas funcionales que hacen cosas como contabilidad, ventas, mantenimiento de maquinaria y diseño de nuevos productos. En vez de ello, se convierten en numerosos y cambiantes agrupamientos de trabajadores individuales, que se reúnen para cumplir con tareas, realizar asignaciones, completar proyectos y resolver problemas.

En el capítulo 1 vimos por qué sucede. En el capítulo 2 estudiamos la forma en que cada vez más organizaciones cambian a una nueva versión de contratación con base en los DATA y, por consiguiente, por qué el candidato de hoy es prudente al comprender y aprender a aprovechar sus propios DATA. En este capítulo veremos cómo este cambio atrapa a los trabajadores que tratan de obtener empleos sobre la base de su preparación y capacidades. Observaremos cómo pueden salir de la trampa aprendiendo a identificar sus actitudes y luego conseguir un trabajo que les permita capitalizarlas.

¿Sabe cuáles son sus aptitudes?

Cuando las capacidades eran el centro mismo de los requisitos, usted ya sabía dónde estaba. Las capacidades se podían probar, muchas con simples exámenes con papel y lápiz en los que se hacían preguntas como la siguiente:

Si el motor de un coche no arranca, lo primero que debe revisarse es:

a) el motor de arranque,
b) la bomba de la gasolina,
c) la banda de transmisión,
d) la tapa del distribuidor.

Las aptitudes son más difíciles de probar. ¿Cómo se sabe si una persona tiene buen trato con los demás? ¿Cómo se sabe si una persona puede poner orden en una situación confusa o irregular? ¿Cómo se sabe si una persona puede resistirse a las reacciones automáticas y ver una situación de forma creativa, aun bajo presión? ¿Cómo se sabe si un individuo tiene un sexto sentido intuitivo con las máquinas, para que pueda arreglar un instrumento que nunca antes vio?

¿Y cómo se sabe si una persona puede continuar pese a que haya cambios, deshaciéndose de los modos antiguos de hacer las cosas y aprender formas nuevas? El director general a quien cité también dijo que "la necesidad crucial" de su empresa "es gente que demuestre que puede entrar" y "adaptarse" al cambio constante. Eso casi no tiene ambigüedades, ¿verdad?

Y bien, veamos las diversas formas en que las grandes organizaciones están descubriendo si los candidatos tienen las capacidades básicas que les exigirán en sus trabajos. Sus prácticas evidencian que la labor no es fácil y que no puede hacerse rápidamente. Lewis Perelman afirma que

los solicitantes de la muy celebrada fábrica de [convertidores catalíticos] de Corning, en Blacksburg, Virginia, se someten durante tres semanas a pruebas, entrevistas, discusiones, simulaciones de trabajo y ensayos antes de ser contratados... Motorola desarrolló una fábrica virtual que puede dar a los trabajadores potenciales una oportunidad de descubrir cómo es su entorno de trabajo, si quieren trabajar ahí, y qué tan bien pueden desempeñarse.

Lo que estas organizaciones están haciendo es crear un entorno sustituto de trabajo en donde el candidato pueda demostrar en tiempo real si tiene las capacidades necesarias para trabajar. Aun cuando no se cuente con tanto tiempo, cada vez más compañías estructuran entrevistas para simular los desafíos que enfrentará cualquier persona.

Una colega mía recientemente pasó por una de estas sesiones. Se le pidió que interpretara las entrevistas y pruebas psicológicas de un administrador hipotético que tenía problemas en el trabajo, dar información de sus interpretaciones a ese administrador en lo que se refiere a su desarrollo, y luego redactar una evaluación del procedimiento. El papel del administrador fue representado por un vicepresidente de la empresa en la que mi colega deseaba trabajar, aunque ella no conocía la identidad de este último.

Las entrevistas y exámenes sugerían que el administrador tenía problemas de comunicación, aunque éste descartó bruscamente la idea. Mi colega fue persistente, pero el vicepresidente se alteró cada vez más. Finalmente, dio un puñetazo en el escritorio y gritó: "¡Todo esto de la capacidad de la comunicación son sólo sandeces!" Y luego agregó varias críticas contra la gente que "se toma tan en serio todas estas tonterías de los recursos humanos". Ella guardó la calma y le mostró el punto de vista opuesto: que el grandilocuente rechazo de "esas cosas" estaba poniendo en peligro su carrera y, si realmente quería seguir trabajando en la empresa, debería aprender un poco más. El administrador terminó la entrevista serenamente... y ella fue contratada.

Es obvio que esta empresa sabía lo que el puesto requería: capacidad para interpretar pruebas y dirigir a un administrador potencialmente enojado. Esta empresa también sabía cómo descubrir si la persona era apta para ocupar ese puesto. Aunque no siempre se sabe cómo un posible empleador evaluará las capacidades necesarias, con frecuencia es posible deducir anticipadamente qué capacidades se buscan. Esto es parte de la labor de mercadotecnia y ventas que el individuo deslaboralizado debe aprender, temas que se discuten en los capítulos 7 al 9. Mi argumento es simplemente que la deslaboralización propicia que un posible empleador se preocupe más por las capacidades y le importe menos que a los empleadores antiguos la formación académica y la experiencia. El candidato debe compartir esa preocupación.

En lugar de trabajar en sus currícula, los candidatos deben hacer lo necesario para tener una imagen muy clara de las capacidades que pueden mostrar a un cliente potencial. Bernard Haldane, el abuelo del desarrollo de carrera, llama a estas capacidades "fortalezas confiables"; y el padre de la materia, Richard Bolles, las llamó "capacidades transferibles". Son el elemento estructural del trabajo que necesita una organización y el trabajo para el que no se equipan nuestros DATA.

Aunque ciertamente hay capacidades técnicas que necesitamos adquirir o mejorar (éstas se discuten en la sección de "áreas de conocimiento" del capítulo 6), ¡no significa que no tengamos aptitudes! En el capítulo 2 hice una lista de las diez aptitudes que las investigaciones más recientes identificaron como de importancia crítica en el mercado de trabajo actual. Eran cosas como leer y escribir, ¿lo recuerda? Ninguna de ellas se relacionaba con técnicas genéticas o diseño de software. Sólo la "computación" fue una entrada reciente, y mi experiencia con los trabajadores de hoy sugiere que esa habilidad es más común que la efectividad al redactar. Así, estas capacidades no son esotéricas.

Esto no quiere decir que algunas de ellas no sean problemáticas. La cantidad de jóvenes que pasan por la escuela sin desarrollar estas aptitudes básicas hace imperativo que los líderes de la educación resuelvan la cuestión. Pero no necesitamos distraernos de la necesidad de millones de trabajadores que piensan que no serán capaces de hallar trabajo porque no tienen una maestría en ciencias de la computación o años de experiencia en Internet.

Entonces... ¿qué podemos hacer?

¿Qué podemos hacer? Esa pregunta hace que la mayoría de la gente comience a hacer una lista de las cosas que requieren sus empleos actuales, o quedan paralizados. Yo pasé años estancado en estas reacciones. A principios de los años setenta quise dejar mi empleo como maestro de literatura en la universidad. ¿Cuáles eran mis aptitudes? "Dar clases de literatura en una universidad", habría dicho yo, o (según mi estado de ánimo) "ninguna". No podía meterme en la cabeza que eran aptitudes (Raúl Fernández las llamó "núcleo de talento") a las que recurría todos los días, habilidades sin las cuales enseñar literatura habría sido imposible.

Me pareció que pasó una eternidad hasta que aprendí que, si no me engañaba la memoria, mis actividades fueron moldeadas por un conjunto de habilidades básicas. No eran vistosas y visibles como el talento para la danza o el genio matemático de mis compañeros de clase. Mis habilidades eran más generales:

- Yo era muy bueno para captar los motivos de los demás.
- Podía ver relaciones entre ideas distintas.
- Por naturaleza, yo tenía capacidad de concentración y de trabajo.
- Era muy bueno para hacer que los demás vieran desde perspectivas nuevas.
- Tenía capacidad de estudio, pues aprendía rápido un nuevo tema.
- Yo era bueno para explicar conceptos.

Estas aptitudes no se consignaban en mi currículum, pero fueron durante mucho tiempo la principal causa de cualquier cosa buena que logré.

Utilicen mi ejemplo, porque lo conozco mejor que los de los demás. También sé cuánto tiempo perdí al no entender antes cuáles eran mis verdaderas aptitudes, y lo importante que era para mí entenderlas. Una vez que aprendí cuáles eran, fui capaz de hacer movimientos subsiguientes en mi carrera con más rapidez. Pero en aquel entonces deambulé en la oscuridad, con pocos avances y borrando mis propias huellas sin la ayuda de un guía o mentor.

Cuando analizamos cómo la gente pasa de un trabajo a otro durante sus carreras, podemos ver cómo las aptitudes se reciclan y reencarnan en una situación de trabajo tras otra. En un reciente artículo del *Wall Street Journal* sobre abogados que cambian de carrera se confirma esta cuestión, en el cual citan a un consultor de Filadelfia llamado Douglas Richardson:

> Todo aquel que se graduó de la facultad de leyes tiene capacidades muy comercializables, que las compañías buscan... Tienen buenas capacidades de expresión oral y escrita, son aptos para evaluar necesidades y fijar prioridades, y pueden pensar analíticamente.

Este artículo nos deja en claro que las capacidades cruciales no necesitan ser aquellas que se utilizaron en un trabajo anterior. "Puedo seguir usando mis conocimientos legales", afirma Robert Saypol, ex abogado y ahora vicepresidente de una empresa hipotecaria. "Todo este talento se transfirió a las ventas." Virginia Coombs, una abogada litigante que llegó a directora ejecutiva de una organización de atención médica comunitaria, aprovechó su "capacidad de negociación y aplicación de resoluciones... y de prevenir mejor los riesgos y minimizar problemas potenciales" que los competidores de su ramo.

La mayoría de la gente ignora este artículo: "El problema es que *no soy* abogado. ¿No tiene algún artículo que trate sobre contadores, o maestros de guardería, técnicos o vendedores?", preguntan. Piensan que se trata de una cuestión relacionada con el contenido. No es así. Se basa en un proceso, y el que usted usa funcionará para cocineros, choferes de camiones y obreros en líneas de ensamblaje, así como para abogados, médicos y arquitectos, y también funcionará para usted.

¿Cuáles son sus aptitudes?

Comiencen como yo: con el trabajo que hacen actualmente. Puede ser un empleo fijo o eventual. También puede ser trabajo como voluntario, o el trabajo normal que exige el hogar, cuidar a los niños y vigilar que el hogar marche bien. Utilizo la palabra "trabajo" en un sentido muy amplio, para cubrir cualquier actividad cuyo fin es práctico. Puede examinar este trabajo e identificar las habilidades que requiere, para ello formúlese las siguientes preguntas:

- ¿Qué es lo que realmente tenemos para lograr el resultado?
- ¿Cuál es el "núcleo de talento" que se aprovecha para cumplir con el trabajo?
- Cuando algún aspecto particular funciona bien, ¿qué es lo que hizo para que así fuera?
- Cuando a la gente le va bien en este aspecto del trabajo, ¿qué es lo que necesitan hacer bien?

Imagine que clasifica sus actividades en el trabajo en distintas habilidades que lo componen, la forma en que se reduciría un compuesto en los elementos que lo constituyen. La primera pregunta que debe responderse: ¿cuáles son las aptitudes elementales que nos permiten hacer nuestro trabajo?

Pero quizá los papeles que se juegan en el mundo del trabajo realmente no nos permiten utilizar nuestras aptitudes. Quizá las utilicemos en pasatiempos (coleccionar antigüedades, fotografía, bailar, cocinar y la talla en madera requieren distintos tipos de capacidades). Quizá usted las aplica en comités de la iglesia, o como entrenador del equipo de futbol de su hijo, o en proyectos para mejorar su casa. Escriba esto en el siguiente cuadro (páginas 103-104).

Identificando sus aptitudes en acción

Método uno

Una de las señales de una aptitud fundamental es cuando la utiliza y pierde fácilmente la noción del tiempo. Los sentimientos varían con las circunstancias: quizá se sienta feliz con lo que hace, se siente que se desvive trabajando, o siente angustia de que los resultados no sean tan buenos como lo desea. No importa cómo se siente: el hecho es que pierde la noción del tiempo. Piense en la última vez que tuvo esa experiencia, luego clasifique lo que hacía en la aptitud o aptitudes que utilizó en ese momento.

Método dos

Imagine que ahora es esa microempresa a la que llamamos *Usted, S.A.* ¿Cuál es el "núcleo de competencia" de su compañía? ¿Cuáles son los pasos a seguir y qué capacidades requiere para hacerlos bien? Puesto que una parte del núcleo de competencias de la compañía se relaciona con el trabajo efectivo en áreas de conocimiento insólitas o sumamente desarrolladas, pregúntese qué tiene su empresa como base de conocimientos. Reformúlela como una habilidad: "Soy muy bueno en convertir mis conocimientos de bioquímica (o poesía, venta de inmuebles, mecánica o psicología de masas) en formas prácticas para hacer [lo que esté haciendo]".

Método tres

Recuerde su primera infancia, hasta cuarto año de primaria, más o menos. ¿Qué capacidades demostró cuando era niño? ¿Qué es lo que hacía mejor?

- Hacer la paz entre dos personas que peleaban.
- Hacer rápidamente sus labores.
- Calmarse usted mismo cuando estaba alterado.
- Captar con rapidez las reglas gramaticales.
- Hacer que otros niños participaran en sus pasatiempos y fantasías.
- Convencer a sus papás que terminaran con un castigo.
- Organizar actividades en pandilla.
- Agradar a las figuras de autoridad.

Piense en cómo pasó todos esos años. Fue necesaria una habilidad natural (en algo) para hacerlo.

¡Ahí tiene! ¿A qué se refiere cuando dice que no tiene la capacidad de hacer cosas significativas?

Mis capacidades	Pasatiempos	Intereses intelectuales	Actividades recreativas
Aptitudes que uso regularmente en esta actividad			
Aptitudes que contribuyen a mi éxito o diversión			
Aptitudes que la gente no parece notar o apreciar			
Aptitudes que simple- mente me son naturales			
Otras aptitudes			

Vida familiar	Amistades	Relaciones profesionales	Escolaridad y desarrollo profesional	Otras actividades significativas

5. Su temperamento y su vocación

*Rabi Baer de Radoshitz una
vez dijo a su maestro, el* Vidente
*de Lublín: "Enséñame una forma
general para servir a Dios".
El sabio replicó: "Es imposible decir
a los demás cuál debe ser su camino.
Porque una forma de servir a Dios es
mediante el aprendizaje, otra es mediante
la plegaria, otra mediante el ayuno
y otra más comiendo.
Todos deben observar cuidadosamente
hacia dónde los llevan sus corazones
y luego elegir esta forma
con todas sus fuerzas".*

MARTIN BUBER,
El camino del hombre

Temperamento: la esencia de su identidad

A lo largo de este libro he hablado sobre la idea de que cada uno de nosotros tiene una vida de trabajo, un tipo de actividad productiva que es particularmente apta para nosotros. Tal trabajo satisface nuestros deseos, capitaliza nuestras habilidades singulares y utiliza nuestras áreas de conocimientos individuales. Pero esta relación es mucho más profunda: llega hasta nuestra misma identidad, cómo somos y qué somos, a la estructura y componentes mismos de nuestra naturaleza. Decidí llamar temperamento a este aspecto de nuestro ser, aunque pude llamarlo *personalidad*, *estilo*, o *carácter*. Sea cual sea su nombre, es la misma sustancia que nos forma a *nosotros*.

105

El temperamento es lo que origina que un individuo prefiera una situación sobre otra; es lo que hace que un individuo tienda a trabajar con cosas, que otro lo haga con la información y un tercero se oriente hacia el trabajo interpersonal. El temperamento es lo que da a un individuo un estilo característico de abordar situaciones de aprendizaje muy distintas, donde uno elija acumular mucha información anticipadamente y a otro aprender sobre la marcha. El temperamento es lo que proporciona a un individuo su "identidad", que literalmente significa "igualdad", de un tiempo a otro y en todo tipo de contextos distintos.

"Existe", dijo el escritor francés Jean Girardoux, "una túnica invisible tejida a nuestro alrededor desde nuestros primeros años; está hecha de la forma en que comemos, la forma en que caminamos, la forma en que saludamos a los demás". Ralph Waldo Emerson llamó *carácter* a esta túnica invisible cuando escribió: "Si actúas, muestras carácter; si no haces nada, lo muestras; si duermes [lo muestras]". Más de 2 000 años antes, el filósofo griego Heráclito utilizó el mismo término: "El carácter de una persona es su divinidad guardiana". El carácter o, como lo llamamos aquí, temperamento, es la piedra de toque a la que siempre debemos volver. Ésta es ciertamente un tipo de guardián, porque libera enorme energía cuando estamos alineados con ella, pero retiene la mayoría de nuestras fuerzas cuando la contravenimos. Su temperamento es lo que hace que una situación de trabajo se sienta "equivocada", aun cuando pueda utilizar sus aptitudes diarias de conocimiento efectivamente, incluso cuando parezca corresponder con lo que (apenas ayer) usted dijo que deseaba.

Seguramente esto le sucedió: usted hablaba de querer algo, pero cuando lo obtiene comienza a actuar como si no lo quisiera. "Pensaba que esto es lo que querías", le dice un amigo, muy confundido.

"Lo sé", responde usted. "Lo quiero, pero no lo siento adecuado."

Las organizaciones toman en serio el temperamento

En el artículo sobre los abogados que cambiaron de carrera mencionado en el capítulo anterior también se alude a la importancia del temperamento; afirma que los consultores descubren:

> ...abogados que con frecuencia son demasiado competitivos con sus colegas para trabajar bien en equipo, o que no son muy aptos para trabajos de administración general; pero... son excelentes contribuidores individuales para trabajos basados en proyectos o de consultoría, donde se sienten a sus anchas.

En otras palabras, el temperamento que hizo exitosa a una persona en un empleo, puede resultar una desventaja en otro, aunque puede ser un don en una situación basada en algún proyecto.

Debido a que es tan difícil definirlo, y a que otros lo utilizan como pretexto para juicios discriminatorios, el temperamento es un concepto que fácilmente puede confundirse. Piense en el gerente que rechaza a alguien con estos pretextos:

- "Ella no es la persona adecuada para nosotros."
- "No tiene lugar aquí."
- "Su estilo no es el adecuado."

Con demasiada frecuencia, esas caracterizaciones significaban: *1*) que *ella* es mujer; *2*) que es negro, o *3*) que *ella* tiene más edad que el resto de la gente de la oficina. Como el temperamento se convierte fácilmente en pretexto para la discriminación, ponderarlo como corresponde puede ser peligroso y confuso para muchas personas.

Pero el temperamento es una parte legítima y de importancia crítica de las cualidades de una persona, porque representa la forma en que su *corazón* puede comprometerse con algún trabajo. No hay forma de describir lo que hace el trabajo que sale del corazón, aunque podríamos decir que nos *alienta*, pero el trabajo que no nos sale del corazón nos *desalienta*; ambas palabras derivan de aliento, que también significa "soplo vital", o aquello que nos hace avanzar. El *deseo* nos asegura que la voluntad está comprometida; las *aptitudes* significan que utilizamos el talento. Pero sin un *temperamento*, falta algo de importancia crucial, y el resultado no puede ser satisfactorio durante mucho tiempo.

Muchas organizaciones reconocen este hecho. Ya vimos algunos ejemplos simples y primitivos de cómo las organizaciones toman en cuenta el temperamento: Nordstrom elige personas que demuestran una "actitud amistosa", por ejemplo, porque se correlacionan con la cultura de servicio al cliente que tanta fama dio a esta empresa. Pero no sólo en el simple ámbito del servicio al cliente es donde cuenta el temperamento. En el exigente mundo técnico de laboratorios Bell, por ejemplo:

> Un estudio... descubrió que los ingenieros más valiosos y productivos que trabajan en equipos no son aquellos con el coeficiente intelectual más elevado, sino aquellos que tienen excelencia en las relaciones, empatía, cooperación, persuasión y la capacidad de formar un consenso.

¿Cuál es su temperamento?

Identificar su temperamento es muy importante y también es difícil responder a esta pregunta. Las pruebas psicológicas son útiles: algunas personas consideran como sagrada la prueba del Indicador Myers Briggs de Tipo (MBTI, por sus siglas en inglés); en tanto que otros optan por los eneagramas y otros más favorecen el sistema cognitivo desarrollado por Kathy Kolbe. Casi cualquier prueba o indicador de este tipo nos da una pieza del rompecabezas, cuando evalúe sus DATA podría utilizar cualquiera de ellos.

Pero familiarizarnos con nuestro propio temperamento no es sólo una cuestión de pruebas de personalidad. Muchos otros factores contribuyen para determinar su temperamento; puede sacar algún provecho pensando en ellos.

- Puede aprender mucho de su temperamento leyendo descripciones de patrones típicos presentados por personas que tienen su edad y posición en la familia. Los primogénitos tienen ciertas características, así como los niños medios, los más pequeños y los hijos únicos.
- Su sexo contribuye significativamente a su temperamento. Pocas personas pueden leer libros como el de Deborah Tannen, *Simplemente no entiendes*, o el de John Gray, *Los hombres son de Marte, las mujeres son de Venus*, sin ver algunas de sus características claramente descritas.
- El temperamento también se ve afectado por el legado étnico o cultural, de tal forma que la gente habla del temperamento francés, japonés o inglés. Aunque no debe confiarse demasiado en este tipo de generalizaciones, innegablemente reflejan diferencias actuales y compartidas entre personas de distintas formaciones.
- Los factores históricos también dan forma al temperamento. Hablamos de la mentalidad de la Gran Depresión, lo que son las personas que fueron criadas en Estados Unidos durante los años treinta, que quedaron marcadas por la angustia y la incertidumbre de la década. Los "veinteañeros" de hoy (o Generación X) también comparten varias influencias, al igual que la generación que maduró en los años del presidente Eisenhower o durante la guerra de Vietnam. En el capítulo 1 se hizo notar la forma en que los factores de temperamento compartidos por muchos *baby boomers* ayudaron a crear los lugares de trabajo deslaborizados a los que tantos de nosotros intentamos adaptarnos.
- No descarte las reacciones cotidianas de sus amigos como recurso para reflexionar sobre nuestros temperamentos. Obtenemos realimentación de nuestro temperamento cada vez que uno de ellos pregunta: "¿Qué piensas de esto?", o "¿por qué siempre quieres hacer eso?"

La cuestión del temperamento puede abarcar mucho más que un capítulo sobre el tema. Aquí, mi propuesta es simplemente argumentar que necesita ser más sensible a su propio temperamento y analizar cómo afecta éste la forma en que usted se ve *alentado* o *desalentado* por distintos tipos de trabajo. Mi propósito no es incitarlo a descubrir alguna respuesta objetiva ("usted debería ser doctor"), sino argumentar que las reacciones basadas en su temperamento son una fuente constante de información si está usted dentro o fuera del curso de su viaje hacia su vida de trabajo.

Evitar el agotamiento

En 1981, el psicólogo industrial Harry Levinson publicó un artículo en la *Harvard Business Review* llamado "Cuando los ejecutivos se agotan". El fenómeno del "agotamiento" no se discutía en ese entonces como ahora (en parte debido a este trabajo). Éste se convirtió en lo que la publicación llama uno de sus "clásicos", artículos que con frecuencia reimprimen. Así, del mismo modo en que se hace con estos clásicos, los editores de la revista reimprimieron el artículo muchos años después de que se escribió, con un epílogo en el que Levinson observó cómo cambió la situación en los 15 años siguientes.

Cambió tanto, decía, que la premisa misma del artículo ya era inválida. Las organizaciones ya no buscaban a sus empleados, por lo que éstos tenían que buscarse a sí mismos. El agotamiento era un problema aún más importante hoy que entonces, pero ahora dependía de que el individuo desarrollara un plan para evitarlo. Ese plan, señalaba Levinson, tendría que renunciar a depender en las capacidades técnicas relacionadas con el empleo: "Una capacidad específica nunca será una fuente duradera de independencia, porque se arriesga a perder su valor en el mercado laboral".

En vez de ello, los individuos deben formar sus vías de trabajo alrededor de lo que él llama "conductas características", que son (como podemos notar cuando él lo ilustra con una lista) las características a las que llamamos temperamentales:

Aunque seamos serenos de forma natural, espontáneamente entusiastas, irremediablemente encantadores o nacidos para perseverar, llevamos nuestras conductas a todas partes. Si lo que hace está en el núcleo de su identidad, su nivel de estrés se reducirá.

Llámelo carácter o conductas características o temperamento, es evidente que lo que usted sea en lo individual debe tomarse en cuenta en lo profesional.

En el pasado, las organizaciones se mostraban reticentes con los empleados que hacían esto. Hoy, debido a la extinción de las antiguas actitudes, las organizaciones no siempre recompensan a las elecciones del trabajo basadas en el temperamento. Pero el mejor trabajo que se realiza en la actualidad es el hecho por personas que trabajan con (y no contra) su temperamento. Y cada vez más empresas toman en serio ese factor, o lo suficiente para alentarlo en sus contrataciones.

Aunque un posible empleador no comprenda el imperativo de alinear las tareas con las predisposiciones de la gente, usted simplemente será incapaz de competir en el mercado de trabajo actual, a menos que lo haga. Es una versión moderna del antiguo "Conoceros a vosotros mismos" y de la sentencia "Que tu verdadero ser sea el verdadero". Sócrates y Shakespeare, los respectivos autores de estas dos frases, ciertamente no tenían en mente el mundo de la corporación moderna cuando lo dijeron, pero quizá no sea accidental, porque la corporación estaba basada en los empleos. En el mundo del posempleo quizá la más confiable sea la sabiduría antigua.

¿Qué le dice su temperamento?

De hecho, pocas veces el temperamento nos lleva al campo específico en el que nos gustaría trabajar. Olvide el sueño de que tiene una inclinación natural por la medicina, por las empresas, por las ventas al menudeo.

En vez de ello, piense que el temperamento le dice cuál es el enfoque que más le agradaría, en el campo que eligió por otras razones. Aunque su temperamento no le dirá si obtendrá el éxito y será feliz como médico, sí lo puede ayudar a elegir si siendo médico tendrá más éxito como investigador, administrador, psicoterapeuta, patólogo o cirujano ortopedista. Su temperamento no le ayudará a decidir si un gran almacén es el lugar adecuado para usted, pero lo

111

ayudará a entender si se sentirá más satisfecho como vendedor, contador, supervisor de piso, comprador, sastre, especialista en servicios al cliente, o decorador de aparadores.

Olvide la idea de que conocer su temperamento resolverá la cuestión de si debe convertirse en empresario. Pero considere que este conocimiento lo ayudará a abordar el enfoque adecuado para que se arriesgue como empresario. A causa de esto hay razones distintas para personas con temperamentos diferentes que pueden llevarlos a ser empresarios.

- Capitalizar una amplia red de contactos comerciales.
- Crear los recursos financieros para el nuevo proyecto.
- Vender al mundo aquello en lo que creen.
- Crear, inventar o imaginar soluciones para los problemas de los clientes.
- Realizar un proyecto sin interferencia de los estúpidos que insisten en explicar "cómo hacemos esto en industrias ABC".

Una pregunta a usted mismo

El temperamento es una gema con muchas facetas. Ninguna prueba o clasificación puede hacer más que darle una perspectiva general a través de una de sus facetas. Es innecesario decir que cualquier punto de vista particular confunde algunas cosas, en tanto que aclara otras. Pero eso está bien. Esta exploración de su temperamento es un proceso continuo (¿lo recuerda?) y no un procedimiento diseñado para darle una respuesta fija.

Aunque haga algún examen, escuche la realimentación de un amigo o sólo piense en su temperamento y trate realmente de responder a una pregunta básica: "¿qué clase de persona soy?" Esto es distinto a conocer su identidad, "¿quién soy?", haciendo una lista de los principales papeles, relaciones y afiliaciones de su vida. Olvídese de que es presbiteriano, demócrata, sureño o egresado de una universidad. Estoy hablando de qué clase de persona es usted.

- ¿Es usted una persona a la que le gusta entender las cosas sola o le funciona mejor la negociación con un grupo universitario?
- ¿Le gusta entrar en terreno desconocido y probar cosas nuevas o le gusta desempeñarse o producir según una forma ya demostrada?
- ¿Preferiría concentrar su trabajo en situaciones que mantienen a un mínimo el factor humano o es precisamente el "factor humano" lo que más le gusta utilizar?
- ¿Realiza actividades para llegar al resultado que busca o realiza las actividades fundamentalmente por el placer inherente que le dan?

Existen otras cien preguntas más que podría utilizar para guiarlo en la exploración de *qué clase de persona es usted*. Tome las siguientes sugerencias como ejemplos, no necesariamente como el camino a seguir. Formúlese sus propias preguntas sobre usted mismo, o hágalo si le son o no útiles. Como sea, pase algún tiempo pensando en *qué clase de persona es usted*.

Primer paso

Escriba sus pensamientos en respuesta a la pregunta "¿qué clase de persona soy?" No se preocupe por la coherencia o la lógica; no trate de corregir su lista al escribirla. Permita que las frases, palabras y oraciones sean escritas conforme salgan de su mente. Utilice las frases más breves posibles para captar su idea, o palabras sueltas, si éstas tienen sentido para usted. Haga como si escribiera los titulares de periódicos.

Fórmese una idea basada en la anterior. ¿Dijo que usted es "bien organizado"? ¿Le pasó por la cabeza que también es un poco "compulsivo"? ¿Y "obsesivo"?, aun cuando utilizó esa palabra en la terrible discusión que tuvo con su hermana. Escriba *todo*. Permita que se desarrolle en esta actividad la asociación libre, para que escriba todo lo que piense y utilice todo lo que escriba como trampolín para pensar más.

Continúe sin forzar artificialmente el proceso. Si no está de humor, déjelo y reanúdelo después. Pero si odia este ejercicio, escriba:

"Soy el tipo de persona que detesta ejercicios como éstos". Pero luego utilícelo como trampolín. ¿Por qué los detesta? ¿Qué es lo que prefiere? (¿dijo que usted es de las personas que detestan la *introspección* y el *autoanálisis*? Muy bien; escríbalo y luego siga con el tipo de cosas que una persona como usted prefiere). Creo que ya me entendió.

Segundo paso

Guarde esta hoja de papel. Pero no la pierda. Si le ocurre lo anterior, tome otra y comience con: "Soy el tipo de persona que pierde todo aquello en lo que no me gusta pensar", y comience a partir de esto.

Unos cuantos días después, tome el papel y vuélvalo a leer. Quién es ese payaso que escribió las palabras "¿qué clase de persona soy?" Si la hoja hubiese sido escrita por otra persona, ¿qué diría de su temperamento? Conviértase en detective.

Quizá sienta que, en lo que a su temperamento se refiere, esta persona no está jugando con todas las cartas abiertas. Quizá se sienta tentado a dejar este carácter (sugerencia de carrera: desempleo). Pero use un poco su imaginación. Las buenas carreras no son el resultado de jugar bien las cartas, sino de jugar con las que se tienen.

Tercer paso

Escriba las tres o cuatro cosas que son temperamentalmente importantes para la vida de trabajo de la persona que escribió la lista. No trate de obtener ideas sobre el trabajo mismo, sino las cualidades del trabajo o la situación que coincidirían o irían con la naturaleza de esta persona. Recuerde: no existe una persona sin temperamento, o que sea temperamentalmente inválida. Toda característica negativa tiene su buen lado. La persona "desorganizada" puede tener un lado creativo y caprichoso. La persona "inestable" puede funcionar bien en una vida de trabajo en la que un proyecto sucede al otro rápidamente, y quien "no quiere cambiar" puede sentirse muy bien en una situación en la que un proyecto es hecho una y otra vez en distintas partes de una organización.

Entonces... ¿qué naipe del temperamento tiene en la mano?

6. Identifique sus áreas de experiencia

¿Qué son áreas de experiencia?

Una de las ventajas del sistema DATA del desarrollo de carrera es que redefine los requisitos, de forma que demuestra la medida en que la gente está, de hecho, "bien calificada" para el trabajo que necesita hacerse hoy. Asimismo, esto es posible sin necesidad de las técnicas de manipulación mediante las que algunos enfoques buscan convencer a la gente que pueden "pensar", "afirmar" o "creer" en su camino al éxito, a pesar de que no tienen los requisitos para avanzar en un mundo como el nuestro.

El sistema DATA comienza con algo que todos innegablemente tenemos: deseos. Pasa de ahí a enfatizar las aptitudes que todos utilizaron desde la niñez y el temperamento que todos tenemos por naturaleza. Y entonces llegamos a las áreas de experiencia. Aquí muchos pensarán que nos topamos con problemas, porque quizá no tengan ningún área de experiencia o recurso, más allá de lo que queda del sueldo y un coche que expira poco a poco; quizá el anillo que su mamá le regaló al egresar de la universidad. "¿Áreas de experiencia? ¿Recursos? Muy pocos." Ese punto de vista es erróneo.

Define área de experiencia o recurso en un sentido económico tradicional y estrecho. Ese significado de área de experiencia o recurso encajaba bien en el mundo del empleo, pero ya no es útil. Ya no acumulamos medios para comprar algo; armamos los recursos de donde crearemos algo. Los "recursos" o "áreas de experiencia" que nos interesan nunca aparecerán en una solicitud de préstamo. Son aspectos de usted, de su situación o la historia de su vida que podría utilizar en su provecho en el mercado de trabajo actual.

Estas cosas son distintas de los recursos tradicionales, en el sentido de que su valor depende de la situación. Una casa de 45 000 dólares es un recurso líquido y vale eso sin importar qué se quiera hacer con el dinero. Pero los aspectos de historia de su vida, sus áreas de experiencia pueden no valer nada en una situación y todo en otra.

Hace una década, Amy Quirk era administradora de un hospital y Eric Weiss era residente médico. Si les hubiese preguntado sobre sus áreas de experiencia o recursos ocasionalmente relevantes, ellos habrían tenido mucho de que hablar, pero su experiencia y pasión por el "kayak extremo", es decir, el remo en situaciones peligrosas, no aparecería en la lista. Después de todo, eran personas en el ramo médico, no deportistas profesionales. Pero su pasatiempo era un recurso o área de experiencia que les dio el conocimiento de un nicho que necesitaba un producto, así pues, su formación académica les proporcionó los conocimientos necesarios para entrar. Entonces, comenzaron a producir estuches médicos de emergencia para deportistas y aventureros. Su línea de productos abarca ahora 60 tipos de juegos de primeros auxilios, de un modelo económico de seis dólares a una versión de 400 dólares para grupos de paramédicos.

Imagine, por ejemplo, que busca trabajo en dos compañías distintas. La primera es una empresa tradicional que sigue contratando con base en el sistema de la educación, la experiencia y las recomendaciones. Usted llena la solicitud y luego es entrevistado por alguien del departamento de personal: el entrevistador quiere saber en qué clase de compañías trabajó: ¿eran empresas "buenas", "exitosas"? ¿Qué puestos tuvo y cuánto tiempo pasó en cada uno de ellos? ¿Quiénes eran sus supervisores y cuáles sus números de teléfono? Y además: ¿cuántos años de escolaridad tuvo, y sobre qué tema hizo su doctorado?

Ahora imagine que la otra empresa es Microsoft. Entra a su "entrevista" y se da cuenta que en realidad se trata de varias conversaciones con personas de distintos niveles, trabajadores reales, pero nadie del departamento de personal. El último es un tipo en mangas de camisa, pero en realidad está tomando asiento cuando se da cuenta que se presentó como "¡Bill Gates!" Sí, como muchas personas que dirigen organizaciones deslaborizadas, el director general de Microsoft participa en el proceso de contratación. Y hace toda clase de preguntas.

"¿Qué le emociona?" Usted no está seguro de cómo responder, aunque le pasan por la mente un par de respuestas obviamente poco apropiadas. Y luego: "¿Cuánta agua fluye por el río Mississippi cada año?" Ahora usted ya suda frío. Y finalmente: "¿Alguna vez trabajó para alguna compañía que se estuviera yendo al caño, saliéndose de los negocios, fracasando?" ¿A dónde quiere llegar? ¿Le está preguntando si es un fracasado? ¿Debería decir no, o quizá hablar de aquella vez, hace siete años, cuando pasó todo un año en una empresa de alquiler de computadoras que quebró?

Con las dos primeras preguntas la respuesta importa muy poco. Lo importante es lo que usted demuestra al responder a la pregunta. ¿Qué le emociona? Puede revelar mucho de lo que desea y cuál es su temperamento. ¿Cuánta agua pasa? Esto se le pregunta para demostrar su aptitud para pensar a su modo y responder a una cuestión a la que nadie podría contestar. Y la tercera pregunta es acerca de un área de experiencia o recurso.

¿Qué recurso? Su experiencia laboral en una empresa fracasada en cierto momento de su carrera. Aquí, Gates mismo habla acerca de este recurso:

Es fácil ser una compañía con éxito. Pero cuando se fracasa, nos vemos obligados a ser creativos, a trabajar y pensar mucho. En las compañías fallidas siempre se necesita poner en duda las suposiciones. Quiero gente a mi alrededor que pasó por este proceso.

Ahora bien, quizá usted siempre consideró que esa parte de su carrera es una de sus desventajas, pero de pronto esto se convierte en un área de experiencia.

Esta área de experiencia, que se convierte en recurso, quizá sea algo que ni siquiera acepte como importante o válido, pero para su cliente lo es y necesita aceptarlo como recurso. Virginia Coombs, la abogada litigante que mencionamos en el capítulo 4, descubrió lo anterior en dos ocasiones. La primera fue cuando se le preguntó por qué dejaba la práctica del derecho. Dándose cuenta de que un cliente potencial se pone nervioso si denigramos nuestra última situación de trabajo, respondió: "Yo no critico el derecho. En vez de eso, dije que tenía la responsabilidad para con mi hijo menor de hallar una jornada de trabajo con menos exigencias, y los demás admiraban tanto mi sacrificio que nunca reflexionaron sobre mi razonamiento". También descubrió que tenía un recurso en el que nunca pensó, el cual se debía a su título en derecho: "Los entrevistadores piensan que soy más inteligente que si fuera maestra o enfermera, lo cual no es justo. Pero eso es lo que ellos piensan".

Así, realmente hablaba en serio cuando definí un área de experiencia o recurso como "cualquier aspecto de usted, su situación o la historia de su vida que podría utilizar en el provecho del mercado de trabajo actual". Por ello dije que no había forma de darle una lista de recursos posibles para que usted pudiera marcar los suyos. La lista sería más extensa que este libro. Tendría que ser actualizada diariamente con los descubrimientos que todos hacen cuando se reubican para aprovechar las oportunidades que crea el gran cambio en el mercado de trabajo de la actualidad.

Usted tiene un trillón de recursos

Cada conocimiento que tenga es un área de experiencia o recurso, como también lo es conocer relativamente bien cualquier campo de conocimientos. Quizá no lo use para resolver acertijos, quizá ni siquiera tenga la oportunidad de presumirlo, pero saber algo, entender cómo funciona, reconocer un padrón de ideas porque los vio antes: éstos serían recursos *en la situación adecuada*. Tenga en mente la naturaleza situacional de los recursos y las áreas de experiencia. No son lo que afirman ser las tarjetas de crédito... que se aceptan en todas partes.

Habilidades

Sus habilidades especializadas son recursos o áreas de conocimientos. Saber trabajar con el lenguaje de computación C++ podría ser un área de experiencia ante Microsoft. En una institución de investigaciones en donde trabajaba mi hija, ser hábil con un lector de código de barras, una variante manual de los artefactos electrónicos que se usan en las cajas de los supermercados, era una habilidad tan esencial que la gente que trabajaba ahí se olvidó de las investigaciones hasta que aprendieron a usarla.

"Un momento", quizá diga usted, "me dijiste que me olvidara de toda clase de habilidades cuando hablábamos de aptitudes, y que más bien me concentrara en cosas más básicas que puedo hacer desde que era niño". Así es. Las aptitudes que lo harán ser contratado son las cosas que nos hacen productivos, las cosas que nos permiten resolver problemas, las cosas que permiten a un equipo funcionar mejor porque participamos en él. Pero las organizaciones también buscan áreas de experiencia y las habilidades técnicas son (en la situación adecuada) definitivamente recursos.

Ahora comience a examinar sus recursos potenciales. Digamos que usted aprendió tagalo cuando se preparaba una misión de los Cuerpos de Paz. ¡Área de experiencia! (aunque esto, desde luego, es solamente verdad en situaciones en las que sería útil hablar con filipinos).

¿Y qué hay de la simple contabilidad que aprendió durante un empleo que tuvo en el verano, siendo estudiante? ¿Y las horas de vuelo que tuvo durante su desafortunado sueño de preparatoria de ser piloto comercial? ¿Y qué pasaría si se propusiera como asistente de un director general a quien le gusta pilotear su propio avión?

No piense que estas habilidades deban ser insólitas o complejas. Supongo que las dos habilidades que utilicé con más frecuencia, desde el punto de vista profesional, fueron dos que no quise adquirir y que ciertamente no me gustó aprender: mecanografía y oratoria. En estos momentos estoy mecanografiando ante mi computadora. Utilicé esta habilidad casi diariamente desde que comencé a ganarme la vida. En un principio la utilicé como maestro y luego, cuando comencé mi propio negocio, seguí usándola porque no podía darme el lujo de contratar a alguien que lo hiciera por mí. Ahora ya no puedo escribir si no es en la computadora. Puesto que éste es mi noveno libro, me veo en la obligación de decir que aprender mecanografía hizo posible mi vida deslaborizada.

Mi vida profesional como consultor y capacitador también depende de las cosas que aprendí en ese tonto curso de oratoria de preparatoria. No quería tomarlo. Tuve depresiones cada vez que se me pedía dar un discurso y ataques de angustia cuando estaba frente al grupo mientras discutían qué tema darme para un discurso extemporáneo. Ya saben, aquellos que comienzan cuando el maestro dice:

"Tres... dos... uno: el señor Bridges nos hablará hoy de... ¡derivados de la madera!" Pero ahora pronuncio 50 discursos al año.

Títulos y credenciales

En el capítulo 2 dije que actualmente la educación, la experiencia y las recomendaciones ya no tienen validez, pero exageré un poco. Su título universitario no será en vano, especialmente si le ayuda a obtener una credencial. De hecho, éste puede ser el recurso sin el cual no podría llegar a ningún trabajo que buscara. Pero aun así, tendrá que convertirlo en producto para algún mercado.

En la tercera parte hablaremos del producto. Lo que quiero decir aquí es que no debe decidir automáticamente que necesitará volver a la universidad y prepararse para el mundo deslaborizado. Hay mucha gente a la que le va muy bien sin tener otra preparación o capacitación que la que usted tiene. Y hay muchas personas a quienes les va muy mal con mucha más educación de la que usted posiblemente podría tener, personas que no entienden lo que está sucediendo y que siguen murmurando: "Heme aquí, con una maestría en economía (o en literatura española o recursos forestales), y necesito ser chofer de taxi para llevar comida a mi casa".

Lo que estas personas no entienden es que los cambios a los que llamamos "deslaborización" significan que la educación ya no nos proporciona una ventaja *automática*. Actualmente, sus beneficios son *provisionales*, es decir, los beneficios dependen de la existencia de un objetivo o propósito para el que sea relevante la educación en cuestión. Esto es un enorme cambio, y no precisamente positivo. Cuando vemos a la educación simplemente como una parte del proceso de crecimiento y maduración, todos aprendemos muchas cosas que sólo después resultan relevantes. Si el propósito de la educación cambia, ¿seguiremos teniendo el respaldo del conocimiento para hacer algo que entonces no soñábamos hacer?

Un ejemplo personal: cuando ingresé a la universidad, el latín era una parte convencional del programa propedéutico. Aunque yo no podía entender qué propósito había en estudiar durante cuatro años el latín, desde entonces produjo una enorme diferencia en mi carrera. El latín me enseñó cómo se desarrolla un lenguaje con el paso del tiempo. Cuando discutí el significado de *alentar* en el capítulo 5, me estaba basando en esta formación. Me basé en esa formación cuando indiqué en mi libro *JobShift* el extraño desarrollo de la palabra *job* (empleo): *1*) una palabra celta que designa la boca, o "gob", algo que se tiene en la boca; *2*) luego se aplicó a un montón o pila de cualquier cosa; *3*) luego se transfirió a cualquier cosa que se hiciera con ese montón o pila de cosas; *4*) cualquier clase de labor. Es ahí donde las cosas estaban al iniciarse la era industrial. Un *empleado* se contrataba para hacer una labor en particular (un contratado o eventual en términos modernos). Sólo después de 1800 la palabra *job*, o "empleo", tiene el significado que hoy le damos.

El mundo en el que existían "empleos" había muchas cosas positivas, y esperábamos que nuestra educación nos "preparara para ello". Actualmente, muchas de las personas a quienes les fue bien en ese mundo se sienten tristes, confundidas y francamente amargadas por su desaparición. Pero en ese mundo también había cosas desagradables, una de ellas era que si los recursos o valores de su familia no le permitían obtener una formación académica siendo joven, entonces estaba en una verdadera desventaja. Si éste fue su caso, entonces le parecerá que el mundo deslaborizado es, comparativamente, un mundo lleno de oportunidades. Todos (tanto egresados como desertores de las universidades) necesitaremos reunir lo que podamos ofrecer con nuestros DATA y la educación *per se* ya no es un boleto para la fiesta.

La educación sigue otorgando beneficios: puede darle su propio equivalente de mi mecanografía, mi oratoria y mi latín; puede presentarlo ante su futura pareja o la persona que la invite a comenzar una nueva empresa; puede incluso capacitarlo en un campo que no utilizó en su carrera. Y no debemos pasar por alto su valor de relaciones públicas. Yo podría seguir haciendo lo que hago en la actualidad profesionalmente sin mis tres títulos universitarios, pero me engañaría si fingiera que tengo en mi campo la misma credibilidad sin estos títulos. Debo admitir que aparecen en mi currículum, pero con frecuencia me siento como un impostor, puesto que la educación no me preparó para mi carrera actual.

La educación es un recurso, pero también muchas otras cosas. Posiblemente ya conoce el viejo argumento de que una educación universitaria vale lo invertido porque aquellos con títulos universitarios ganan mucho más durante sus vidas que aquellos que no los tienen: aproximadamente 600 000 dólares. Y bien, es verdad, pero 600 000 dólares no son cualquier cosa, aunque también es verdad que si tomara el dinero que cuesta obtener el título y lo invirtiera en bonos, terminaría con mucho más dinero al final de su carrera.

No le estoy incitando a que se olvide de las universidades. Primero que nada, es difícil obtener en otra parte las habilidades básicas que se necesitan. Por otro lado, la educación superior puede abrirle los ojos a posibilidades que de otro modo no podría captar. Y aunque esto quizá no sea importante en su lista de pendientes, puede ser una persona mucho más interesante tanto para usted mismo como para los demás. Y esa cualidad es un verdadero recurso.

Simplemente estoy diciendo que, como área de experiencia, la educación es útil sólo cuando es útil. De manera similar, tener liquidez en casa es útil si quiere tomar un préstamo e iniciar una empresa, o para sostener a su familia durante un tiempo, pero no muy útil si trata de convencer a una empresa para que lo acepten como solución a su actual problema con las quejas de los clientes. La evaluación de cualquier recurso necesita tener cuando menos una idea general de lo que trata de hacer en su mercado con los DATA que conoce.

Experiencias

Ocasionalmente, desde luego, existen algunas áreas de conocimiento que son poco comunes para no ser puntos iniciales en sus planes, como medir 2.10 m y ser muy coordinado; o hablar fluidamente el idioma de una importante nación emergente; o ser propietario de un proceso rápido y económico para desalinizar agua de mar. Dado que no tengo ese tipo de áreas de experiencia, tuve que buscar en otras partes cuando me dispuse a dejar el magisterio. Supongo que usted hará lo mismo.

Al iniciar mi propia microempresa (antes de que siquiera imaginara ese concepto), me obsesionaba el hecho de que, a excepción del trabajo durante las vacaciones y dos años como abastecedor en el ejército, no tenía ninguna otra experiencia, además de la enseñanza. Era un círculo vicioso. Quería dejar el magisterio, pero en mi currículum quedaba claro que era un maestro bien calificado, es decir, en términos de empleo. Tenía otras experiencias que eran de oro, aunque me tomó casi una década aprender cómo apropiármelas.

Yo inicié y dirigí un seminario de verano de dos semanas para maestros universitarios, quienes, como yo, estaban hartos de la enseñanza tradicional en la que fueron formados. Como veremos en el capítulo 7, el mercado que mejor pueden aprovechar muchas personas es aquel donde hay otros con la misma clase de problemas que ellos. La mayoría de mis colegas trató de convencerme de que desistiera, pero una vez que me acostumbré a hablar ante varios grupos para que patrocinaran mi conferencia (para lo cual me sirvió la oratoria), formar una lista de correspondencia (que escribí yo mismo), invitar a oradores que no conocía (¡aceptó el famoso psicólogo Abraham Maslow!), descubrí que no me iba tan mal organizando conferencias.

Cuando dejé el magisterio hice dos cosas que me resultaron sumamente útiles: primero, comencé a entender los rudimentos del análisis DATA y a identificar los recursos de los que podría depender; segundo, pensé en la experiencia de crear mi conferencia de verano. Comencé con seminarios modestos llamados "Cómo tratar efectivamente la transición personal". Luego ofrecí el seminario ante empleados en una agencia gubernamental que estaba en medio de un gran cambio. Luego pensé en iniciar una gran conferencia pública sobre un tema que me interesaba cada vez más: cómo en distintas ocasiones durante el ciclo vital parece haber tiempos de transición. El libro *Pasajes* de Gail Sheehy hizo que el tema cobrara popularidad, aunque pensé que podría hallar a unas 100 personas que pagarían por pasar un fin de semana oyendo conferencias sobre el tema.

Nuevamente, los amigos y colegas trataron de convencerme de que desistiera. Era demasiado ambicioso. Arriesgaría mi propio dinero. Sólo los grandes patrocinadores como una universidad podían iniciar este tipo de cosas. Pero:

- Realmente quería hacerlo. El deseo era claro.
- Repasé mis aptitudes: la aptitud de hacer que personas desconocidas colaboraran en algo en lo que yo creía, que logró que viniera Maslow a mi primera conferencia. Esta vez logré llevar a unos cinco o seis especialistas, incluyendo a Carl Rogers y Elizabeth Kubler-Ross.
- Esta clase de eventos aprovechó algún elemento de mi temperamento al que le gusta crear cosas, prefiere trabajar fuera de los límites organizativos y no puede resistirse a hacer lo que los demás dicen que no funciona.
- Tenía un recurso en mi experiencia al iniciar conferencias. La lista de correspondencia fue esta vez mucho mayor, pero se trató del mismo proceso. Publicitar la conferencia con entrevistas de prensa y pláticas ante grupos interesados, esto fue sólo mecanografía y oratoria otra vez.

Los resultados en mi segunda conferencia fueron distintos. Esta vez la asistencia no fue los 33 participantes que tanto me gustaron la primera vez, ni los 100 asistentes que esperaba. ¡Esta vez vinieron 1 700 personas!

Utilicé este ejemplo porque lo conozco bien y para asegurarle que soy consecuente con lo que predico. Sin embargo, como cualquier otro ejemplo, corre el riesgo de parecer algo que los demás deben copiar. No lo haga. Lo que debe copiar es el *proceso*. Olvide los resultados... excepto cuando se sienta desalentado luego de que la gente le diga que la idea no funcionará. Olvide los resultados porque son específicos a los DATA particulares de una persona. Hablé aquí de recursos que no son los mismos que los suyos. Pero usted tiene experiencias y, por consiguiente, tiene recursos.

Cualquier experiencia puede ser un recurso si se une al deseo, si es apoyado por las aptitudes y si viene bien a nuestro temperamento. Experimentar los horrores de la guerra en Vietnam se convirtió en recursos para personas que desearon crear servicios de apoyo para veteranos que quedaron profundamente marcados por la misma experiencia. La experiencia en la lucha contra una adicción es un área de experiencia para quien quiere ayudar a otro adicto. Se trata de un recurso que no es más ni menos valioso que aquel de ser medallista olímpico o conocer a un asesor en la Casa Blanca. Todo puede ser un recurso:

- Cualquier cosa que hizo antes.
- Cualquier persona que conozca, por más lejana que sea.
- Cualquier lugar en el que estuvo.
- Cualquier cosa que sepa, sin importar cómo lo aprendió.

Que usted se criara con una hermana retrasada puede ser, en la situación adecuada, un recurso. También puede ser un recurso que tuviera una infancia solitaria y dolorosa; haber estudiado un año de preparatoria en México; que alguna vez hiciera salto de longitud; haber iniciado alguna vez una venta de pasteles en su iglesia; que le gusten los animales; que se le haya aprobado un préstamo para una empresa; haber estudiado dos años portugués en la universidad; aparentar ser mayor (o más joven) de lo que realmente es. Incluso sus defectos de personalidad pueden ser recursos... en la situación adecuada. Como lo escribió Alexis de Tocqueville: "Tenemos éxito en empresas que exigen las cualidades positivas que poseemos, pero somos excelentes en aquellas que también utilizan nuestros defectos". Hasta nuestra neurosis puede funcionarnos bien en la circunstancia adecuada. Quizá le avergüence su propia obsesividad, pero si alguien necesita confiabilidad absoluta y total regularidad, usted es precisamente lo que recomendó el médico. La paranoia es una desventaja en la mayoría de las situaciones, pero... ¿y si alguien quisiera formar un sistema de seguridad? Su codependencia quizá pueda volver loca a su familia, pero hay muchísimos ejecutivos que pagan bastante dinero por la preocupación de la salud de los demás que es la característica de la codependencia.

Ya entendió a lo que me refiero. Ahora necesita identificar sus propios recursos.

Ensayando sus áreas de experiencia

Tendrá que realizar periódicamente la cuestión de las áreas de experiencia durante la revisión de su carrera. Puesto que sólo son "recursos" verdaderos en el contexto de una situación en particular, tendrá que posponer la identificación definitiva de sus recursos después de conocer las necesidades no satisfechas del mercado que eligió. Pero no servirá de nada simplemente olvidar por completo la cuestión de los recursos hasta entonces. Necesita tener cuando menos una idea general de sus DATA cuando comience a evaluar mercados potenciales. Es la situación de la gallina y el huevo: sus recursos contribuyen a que su producto pueda crearse únicamente después de revisar el mercado; pero sus recursos pueden sugerirle mercados que debería explorar y que incluso pueda sugerir productos que podría desarrollar.

He aquí algunas sugerencias para una primera revisión de sus recursos. Vuelva a esta tarea luego de revisar su mercado. Para entonces, tendrá algo más que una idea de lo que se necesita, por lo que puede ser más selectivo al hacer un inventario de sus recursos (es decir, algunos no serán muy relevantes para los mercados que considera) y mucho más intensivo en su consideración de los recursos que podrían contribuir potencialmente con su producto.

Primer paso

¿Qué hay de insólito en usted? No extraño, sino algo que sea extraordinario, relacionado con algo que no todos los demás son o hacen. Puede ser su tamaño, su afición al paracaidismo o a leer novelas rusas, o la talla en madera que tanto le gusta hacer; puede ser el hecho de que distinga similitudes entre la gente o hacer un salto de altura de dos metros, o pescar muy bien; quizá el que usted sea bajo de estatura, delgado y ágil, o corpulento y fuerte; ser veterano militar, indio estadounidense o vegetariano. Quizá el hecho de ser un genio en juegos de computadora, o que pueda cantar como un ángel, o que es un cocinero excepcional.

Puede ser cualquiera de estas características, logros o capacidades peculiares en usted. Sin tratar de decidir cómo podría ayudarlo, anótelos.

Segundo paso

La primera lista cubre lo que es usted en el presente.

Ahora piense en lo que fue en el pasado. Hay cosas que logró, personas que conoció, lugares donde estuvo. Están todas las experiencias vividas. Todas éstas podrían, en el contexto adecuado, representar recursos. Pero esto es truculento, puesto que aún no tiene contexto. Realmente necesita escribir todo recurso que pueda concebir, pero nos tomaría muchísimo tiempo, por lo que deberá utilizar la forma que aparece en la siguiente página para organizar sus pensamientos.

Revise su vida cronológicamente, siguiendo la primera columna de tiempos de esta tabla, y escriba palabras o frases bajo cada uno de los títulos que capte rápidamente el momento de las cuatro categorías:

	Experiencias personales	Experiencias de trabajo	Logros	Proyectos
0 a 5 años				
6 a 10				
11 a 15				
16 a 20				
20's				
30's				
40's				
50's				
60's				
70's				
80's				

1. *Experiencias personales*. Viajes, cambios en su vida, relaciones, enfermedades, nuevos intereses o actividades, giros de la suerte, giros espirituales o "pausas".

2. *Experiencias de trabajo*. Tanto formales como informales, empleos y actividades voluntarias, en el hogar o fuera de él, es decir, cualquier cosa "productiva".

3. *Logros*. Los que hizo conscientemente (escalar una montaña, obtener un trabajo que buscó mucho, organizar un equipo deportivo, la publicación de un ensayo) y los menos formales (llegar a la lista de honor, reponerse de su asma, salir de una depresión, ser nombrado empleado del mes).

4. *Proyectos*. Los personales y relacionados con el trabajo, asignados o iniciados por usted mismo, pequeños y grandes, los que fueron recompensados o ignorados, todo aquello que tenga un principio, desarrollo y fin, en lo que fue la actividad y no el resultado lo notable. Las cosas notables por sus resultados pertenecen a la categoría *logros*.

Tercer paso

Guarde la hoja durante uno o dos días para que pueda volverla a leer desde otro punto de vista. Luego revísela lentamente. Saboree y considere lo que escribió en cada recuadro. Cada una de estas entradas es un recurso. Necesita "pulirlo", eliminar el contenido incidental o superficial y encontrar el recurso que hay. Por ejemplo, ¿pasó un semestre en la facultad de comercio pero desertó? Esa experiencia abreviada quizá le dio un conocimiento administrativo más formal que la mayoría de las personas de su ramo; ¿pasó cada fin de semana, durante varios meses, trabajando para una campaña política?, sin importar si tuvo éxito o no, ese proyecto quizá lo dejó con habilidades, experiencias o contactos que podrían ser recursos.

En algunos casos el recurso no será gran cosa, pero en otros será sumamente significativo. Su labor es convertir la situación y los eventos en una experiencia de aprendizaje que podría aplicar a otras circunstancias y contextos distintos. Esto tomará algún tiempo. No es precisamente un procedimiento formal, sino más bien una reflexión guiada.

Mantenga una lista de sus descubrimientos, con referencias en la gráfica cronológica, para poder reflexionar posteriormente.

Cuarto paso

Vuelva a la tabla cronológica y pregúntese si no contiene alguna información sobre el resto de sus DATA.

- ¿Qué deseos aparecen en la lista, que aún siga teniendo? Quizá los olvidó, o se perdieron en el trajín cotidiano, o ni siquiera pudo entender, en ese entonces, qué deseaba realmente.
- ¿Qué aptitudes le permitieron hacerlo? Clasifíquelas, busque las actividades que las acompañaron y luego junte las actividades con las aptitudes que utilizó para llegar a los resultados.
- ¿Qué dice este mapa verbal de su vida acerca de su temperamento? ¿Qué clase de persona era cuando fue joven? ¿En qué sentido esta persona más joven aún sigue viviendo? ¿Cuál es la naturaleza, el estilo, el componente, el temperamento de esa persona más joven?

Cualquier descubrimiento que aquí haga deberá llevarse al lugar apropiado del libro y añadirse a lo que aprendió de sus deseos, aptitudes y temperamento.

Quinto paso

A continuación ofrezco una lista de clientes hipotéticos a los que su microempresa podría servir, si tan sólo pudiera identificar cuáles son los recursos que cada uno necesita.

Utilice estos ejemplos para estimular su reflexión de lo que hay en su pasado y que podría convertirse en un recurso para su futuro.

a) La empresa Broot Beer, fabricante de cerveza de raíz, quiere expander su mercado. La compañía quedó fuera de las principales cadenas restauranteras, que ya tienen a sus propios proveedores.

b) Terry L. Jefferson quiere elegirse para el Congreso. Jefferson, aunque es un activista brillante, lúcido y comprometido, y usted concuerda con sus posiciones, no es visto por el público como un candidato serio.

c) Su vecino le habla de noticias perturbadoras: debido a recortes presupuestales, dentro de tres meses el programa de guarderías públicas no tendrá suficiente dinero para pagar a su personal.

Sexto paso

Repase los ejercicios anteriores con su pareja, parientes o amistades. Idealmente, esta persona debe ser alguien que lo conoce desde hace algún tiempo o que conoce su pasado. Explíquele la idea de los recursos y pídale que le ayude a identificar los suyos, o cada uno de ustedes podría ayudar al otro a identificar los recursos de cada cual. Con frecuencia no reconocemos nuestros propios recursos con la misma facilidad con que lo hacen los demás.

Tercera parte

Convierta sus DATA en un producto

Descubra el mayor problema
que su empleador tiene,
y para el que usted y sus habilidades
son la solución.

Robert Horton,
contratador ejecutivo

Esta parte del libro lo ayudará a desarrollar productos para *Usted, S.A.* Pero antes de que comience a pensar en los productos necesita determinar las necesidades insatisfechas que confrontará. Esto será el tema del capítulo 7, "Busque su oportunidad". Cuando decida quiénes serán sus clientes y cuáles son sus verdaderas necesidades, entonces hablaremos del producto que les venderá y la empresa en la que se desempeñará.

Expresarlo en esta secuencia es la única forma de aprender a hacerlo, pero en realidad es más bien un círculo, que comienza en alguna parte y donde todo desemboca en lo demás. Sus DATA no tienen ningún sentido sin una situación específica y ésta es irrelevante si no tiene los DATA apropiados para responder ante ella. Quizá cuando tengamos todo este material en la supercarretera de la información podrá comenzar en cualquier parte y seguir los elementos en el orden que desee. Por lo pronto éste es un libro y estamos en su formato lineal.

7. Busque su oportunidad

La mercadotecnia es una actitud,
no un departamento.

PHIL WEXLER

¿Cuál es su mercado?

Al trabajar con personas cuyos empleos se veían amenazados por los cambios que discutimos en el capítulo 1, a veces les pregunto cuáles eran sus mercados. Casi sin excepción replicaron en términos de los mercados atendidos por las organizaciones cuando tenían un empleo: "Compradores de automóviles", "inversionistas individuales con ingresos de más de 75 000 dólares", o "padres con hijos chicos". La mayoría de las personas añadían que no sabían mucho de todas esas cosas porque "no estaban en mercadotecnia".

Cuando les dije que no me refería a los mercados de sus compañías, sino a los *suyos*, la mayoría de ellos parecían azorados. Los más sofisticados comenzaron a hablar sobre cómo en estas épocas la gente era instada en sus compañías a enfocarse más en el mercado, por lo que supusieron que sus actividades debían tener algún impacto sobre la presencia de la empresa en su mercado. En ese sentido, el mercado de su empleador era *su* mercado. ¿Era a eso a lo que me refería? Pocas veces tuve el valor de decir otra vez que no, por lo que pasábamos al tema de cómo eran impulsadas al mercado las organizaciones, las escuelas y las iglesias.

A lo que trataba de llegar era a algo muy distinto. Debido a los cambios discutidos en el capítulo 1, las empresas ya no ven automáticamente a sus empleados como la mejor gente que puede hacer el trabajo que necesita cumplirse. Ahora, casi todo trabajo que representan los "empleos" en una compañía ya puede subcontratarse. Si el trabajo en cuestión es de breve duración, la compañía puede contratar empleados eventuales, contratistas o consultores.

Esas personas externas no tienen "empleo". Trabajan por honorarios y ven el mundo de la organización como un mercado. Operan como una microempresa de una sola persona y la organización *es* su mercado. Ven al mundo dentro de la organización con lo que Theodore Levitt llamó "la imaginación mercadotécnica". Mientras más éxito tienen en sus funciones, más ven la oficina o la fábrica como un mercado integrado por personas que buscan formas de satisfacer sus necesidades.

Cuando dije antes que en el mundo laboral los empleados necesitan olvidarse de sus puestos y comenzar a buscar el trabajo que necesita hacerse, me refería a que deben desarrollar esta misma imaginación mercadotécnica. Si no lo hacen, posiblemente pierdan su trabajo ante alguien que no es empleado convencional, pero tiene el punto de vista mercadotécnico frente al trabajo que necesita hacerse.

Puesto que lo anterior representa una gran transformación en el panorama de la mayoría de los trabajadores, debido a que el elemento mercadotécnico en las carreras deslaborizadas es tan importante, permítanme describir estas ideas en unas cuantas palabras:

1) "Mercadotecnia" (como utilizo el término aquí no se refiere al mercado de la organización, sino al mercado del individuo deslaborizado). Su tarea como trabajador deslaborizado es descubrir para qué mercado está mejor preparado con sus DATA.

2) Su mercado no es "el mercado de trabajos", tampoco los clientes de su organización. Más bien su mercado son las personas que lo rodean con necesidades insatisfechas. Identificarlas es su principal labor como mercadotécnico.

3) Necesita concebir al muy cambiante mundo que lo rodea como un patrón de mercados que se traslapan y, al hacerlo, imaginar que es una pequeña empresa que busca un nicho. No busca "empleo", sino más bien "oportunidades". Éstas son simplemente necesidades insatisfechas que sus propios DATA le permitirían cumplir o satisfacer.

4) Esto significa que, aun cuando tenga empleo, debería dejar de pensar como empleado y comenzar a pensar como vendedor orientado a oportunidades. Un "empleado" cumple con su trabajo, laborando sobre proyectos "especiales" si se le pide, pero vuelve al empleo en busca de seguridad e identidad. En contraste, un "vendedor", siendo independiente en el negocio, constantemente revisa el mercado en busca del trabajo que necesita hacerse. La seguridad e identidad que todos necesitamos proviene de la microempresa de una sola persona que el vendedor desarrolla.

5) Puesto que las organizaciones están desarticulando cada vez más sus actividades, cada empleado está en competencia directa (aunque no siempre ignorada) con vendedores externos a quienes les encantaría traer el marco de referencia del vendedor a cualquier labor realizada por un empleado.

6) Para los vendedores los límites son meras formalidades: dentro y fuera, este departamento y tal otro significan poco. Todo ello es un mercado lleno de personas con necesidades insatisfechas y (al otro lado de la transacción) lleno de proveedores de recursos que podrían ser colaboradores en la labor que emprende el vendedor.

7) Para competir con estos vendedores, necesita olvidarse de su empleo y observar a sus colegas empleados dentro y fuera de su departamento, como clientes con necesidades insatisfechas. Necesita cambiar el enfoque de su empleo a un producto que cumpla con las necesidades de su cliente (hablaremos de cómo hacerlo en el siguiente capítulo).

8) Una vez que comience a ver a su organización como una colección de muchos mercados traslapados, entenderá que está rodeado de mercados y que están en cada aspecto de su vida. Su profesión es un mercado. La gente como usted es un mercado. Su ex organización es un mercado. Su actual mundo de trabajo es tan sólo uno de sus mercados potenciales, porque está rodeado por muchos otros.

9) Obviamente, la mercadotecnia involucra a la comunicación, pero no empiece queriendo comunicarse con su mercado, comience con lo que el mercado trata de decirle a *usted*. Piense en los mercados como campos de mensajes que esperan ser decodificados, donde el éxito es el decodificador que puede traducir el mensaje subyacente (combinado con sus DATA) y convertirlo en un producto útil.

10) Necesita entender que aunque el cambio es enemigo de las personas que tratan de aferrarse a sus empleos, es el amigo de las personas que adoptan este enfoque mercadotécnico. El cambio constantemente crea nuevas necesidades no satisfechas. Destruye oportunidades sólo para la persona "con mentalidad de empleado"; para quien tiene "mentalidad de vendedor" simplemente *reubica* oportunidades.

11) Este proceso de reubicación de oportunidades ocurre con frecuencia en el gran mercado público de una economía de libre empresa. Las antiguas compañías mueren a diario y nacen nuevas porque una antigua área de oportunidades se cerró y se abrió una nueva en otra parte. "Deslaborización" es simplemente el mismo proceso que ocurre en una organización.

12) Esto significa que la planificación de carrera necesita ser un proceso muy similar a la planificación estratégica dentro de una pequeña compañía incipiente que trate de capitalizar los cambios en su mercado: *Usted, S.A.* Para un verdadero proceso de planificación estratégica para su microempresa vea el capítulo 9.

¿Podría usted hacer esto?

Al leer los 12 incisos anteriores, quizá pueda reconocer que tienen sentido, pero quizá dude que usted (o los "trabajadores ordinarios" en general) podría cambiar su enfoque hacia el trabajo de modo tan profundo. Responderé a sus dudas de tres modos. Primero, debo reconocer que el cambio del que estoy hablando realmente *es* enorme y que necesitaríamos volver al advenimiento de los empleos, al inicio de la revolución industrial, para ver otro cambio tan profundo. Hallará algunas sugerencias para facilitar ese cambio en el capítulo 10, "Hacer planes y comenzar".

Segundo, me gustaría recordarle que la gente que cumplía con esos antiguos empleos tampoco estaba preparada para su nueva experiencia. Nunca antes trabajaron en un horario regular. Nunca hicieron lo mismo una y otra vez, como lo exige la división del trabajo. Nunca experimentaron la vulnerabilidad de ser totalmente dependientes de los sueldos, que podrían cancelarse en cualquier momento. No era que el nuevo mundo laboral fuera más difícil o peor que la vida del granjero o el artesano, aunque mucha gente afirma que lo fue, sino que simplemente fue muy distinto y la transición del antiguo modo de trabajo al nuevo era difícil, incluso hoy lo es. Vivir en una de las pocas revoluciones profundas de la historia es una experiencia agotadora.

Tercero, me gustaría que considerara a algunas de las personas que ya hicieron ese cambio, para que pueda ver que no son inusualmente talentosas o independientes de espíritu. Por ejemplo, le contaré del anciano afroamericano que trabaja en el aeropuerto de Atlanta. No tiene un empleo, aunque en 1996 había muchos puestos en el aeropuerto de Atlanta debido a los negocios creados durante el verano por las olimpiadas. En vez de eso, va de un puesto a otro de lustradores de zapatos preguntando: "¿Se le ofrece algo?" Él sabe, como ex trabajador de estos lugares, que cuando el negocio funciona bien, los operadores no se atreven a que falte mano de obra, por lo que pagan bien a cualquiera que les traiga suministros o comida.

O le contaré de Stanley Fukuda, ex trabajador de construcción que no terminó la universidad, cuya carrera en la construcción terminó por un accidente laboral que lo dejó paralizado durante ocho meses, con una vértebra rota. Sus consultores de rehabilitación vocacional le recomendaron estudiar computación, pero el sentido común de lo que llamamos DATA lo convenció de que sería mejor dedicarse a *barman*. Él pagó con su propio dinero un curso.

Actualmente Fukuda trabaja en el Café Mars, en San Francisco, sobre el cual un artículo del *Wall Street Journal* deja claro que va más allá de las descripciones de empleos descritas en los contratos de *barman* sindicalizados. Prepara los ingredientes para las copas de esa noche, supervisa a otros que están construyendo un drenaje para un nuevo bar en el patio, atiende los pedidos por teléfono, revisa las facturas y hace una lista de los cheques que necesita el dueño del bar, programa a sus colegas en la computadora, trata con el inspector de la OSHA (organismo de supervisión ecológica), además del inspector sanitario y la oficina de recaudación de impuestos, piensa en la programación musical de la semana (martes, música soul; miércoles, jazz...), contrata a algún empleado, organiza una liga de softbol para trabajadores del restaurante, es agradable con los clientes y hace del Café Mars un lugar sumamente agradable; y, además de su sueldo, en una buena noche gana 200 dólares en propinas. Como bien lo ilustran estos casos, la "mercadotecnia" de la que hablo simplemente implica comprender el mundo del que somos parte y lo que se necesita para llenar sus necesidades insatisfechas. Esta mercadotecnia parece complicada sólo cuando la vemos como un mundo que no conocemos bien. Y bien... *hay* una situación que lo complica: si está dispuesto a trabajar solamente cuando alguien le dé un empleo ya hecho. Ese deseo era anteriormente un recurso, puesto que las organizaciones buscaban personas que hicieran lo que se les pidiera y nada más. Actualmente, en un entorno tan cambiante, donde el trabajo no permanece mucho tiempo para poder entrar a la descripción de un empleo, es una desventaja.

¿Cómo identificar sus mercados potenciales?

Puesto que los mercados son siempre específicos a situaciones particulares, no hay forma de hacer una lista de todos ellos. Pero revise los siguientes diez aspectos en los que tiene más probabilidad de hallar un mercado, teniendo su propia situación en mente al hacerlo:

1) El grupo, lugar, departamento o el equipo particular dentro de la organización para la que trabaja, si es que actualmente tiene empleo. Éste es el mercado ideal para la mayoría de las personas, puesto que los empleados no pueden evitar conocer sumamente bien la parte que desempeñan en su organización.

2) La organización para la que trabaja en general. Si es relativamente pequeña, quizá conozca a toda la organización, del mismo modo en que el trabajador conoce su departamento en una organización grande, como en el inciso anterior.

3) Alguna otra parte de su organización. ¿Recuerda cómo su amigo en el otro departamento le hablaba de lo mal que la estaba pasando con... cualquier cosa? Su red natural de conexiones lo relaciona con los problemas que aparecen en toda su organización. Este mercado podría ser especialmente importante si su área particular es asediada por los recortes.

4) Alguna organización anterior donde trabajó, en parte o en su totalidad. Quizá usted salió de ahí por el lastre que imperaba, o quizá no trabajó ahí, tal vez era sólo estudiante o un cliente. En cualquier caso, usted tenía una buena idea sobre algo que a ellos les hacía falta y necesitaban. Este mercado podría ser especialmente apropiado si ya no tiene empleo.

5) El ramo al que pertenece su organización actual (o en alguna que trabajó anteriormente): el de chips de computadora, publicidad, iglesias, bibliotecas o la industria papelera. Quizá los problemas no sean característicos de su compañía, hospital o agencia gubernamental en particular, sino que aparecen en todas las organizaciones de esta categoría.

6) Su propia profesión u oficio. Usted trabaja para un fabricante automotriz o universidad, pero es contralor, director de comunicaciones o personal de mantenimiento. Su mercado quizá sea común a muchas organizaciones y puede estar integrado por personas que hacen un trabajo en particular o que pertenecen a alguna categoría funcional en esas organizaciones distintas.

7) Su comunidad. Desde luego, su mercado no necesita estar relacionado con el trabajo. Vea a su alrededor, en el lugar donde viva. La población donde vive o trabaja constituye un mercado, con todo tipo de necesidades insatisfechas de cosas que necesitan construirse, arreglarse o crearse, como los individuos que viven o trabajan en la población. Esas necesidades deben ir más allá de las físicas. ¿Qué tipo de servicio o institución social necesita su comunidad (o algún segmento de ésta)?

8) Un grupo, comunidad u organización que conozca. Tal vez leyó un artículo en el periódico y de pronto entendió que "necesitan ayuda" o "debería haber un programa que se ocupara de esto". ¿Cuál era ese mercado?

9) Individuos como usted. Esto es fácil de ignorar porque no está definido con el nombre de una compañía o institución social. Pero si usted, individualmente, tiene necesidades insatisfechas, es muy posible que pase lo mismo con otras personas como usted. Y se trata de un mercado que conoce bien, ¿verdad? (Recuerde cómo empecé en este mercado con mi primera conferencia para maestros quienes, como yo, no estaban satisfechos con su trabajo.)

10) El mercado masivo. Generalmente, a éste se refieren todos cuando hablan de "el mercado", pero, por dos razones, no es generalmente el mejor mercado para empezar. Primero, la mayoría de las personas no lo conocen bien y el enfoque que estamos adoptando para hallar trabajo es que se deben conocer las necesidades no satisfechas de su mercado. La segunda dificultad es que nos pone en competencia directa con sofisticadas empresas e ingeniosos empresarios que ya tienen investigado este mercado de cabo a rabo. Pero no quiero desalentarlo si tiene una buena idea. Sólo asegúrese de que el mercado tenga las necesidades que usted piensa que puede satisfacer.

Podría haber otros mercados potenciales (lugares o grupos de personas que conozca bien) para usted. Así, considere que la utilidad de esta lista es únicamente para hacerlo pensar.

Identifique necesidades insatisfechas

Hallar el mercado es sólo el primer paso. Un mercado no es sólo una conexión de personas, es también una colección de necesidades no satisfechas que cambian constantemente conforme lo hacen las fuerzas económicas, técnicas, reglamentarias o demográficas. En cualquier mercado necesita poder reconocer las necesidades insatisfechas. Puede ocurrir que éstas ni siquiera sean conocidas para las personas que las tienen, especialmente si pueden satisfacerse sólo mediante un producto o servicio que aún no existe. En ese sentido, la necesidad insatisfecha es sólo delimitada por una vaga insatisfacción o un límite para lo que puede hacerse. Irónicamente, sólo al aparecer en escena una solución, la situación se convierte en un "problema" que podría resolverse. Sea cual sea el mercado que elija, siempre habrá señales específicas de que existe en éste una necesidad insatisfecha. Al igual que los mercados mismos, esas necesidades son incontables, pero tienden a verse acompañadas de ciertas señales típicas. He aquí algunos de los "indicios":

1. Una pieza que falta en un patrón o secuencia. Ésta es la clásica situación "revolucionaria", porque cuando la pieza se descubre, todo queda en su lugar. Muchas personas ni siquiera se dan cuenta que falta esta pieza, porque el patrón o secuencia subyacente no es claro para ellos. Tal vez necesita actividad conceptual para educar al mercado en lo que se refiere al patrón total en donde falta la pieza. Yo mismo capitalicé una de estas piezas faltantes cuando, al principio de mi carrera como constructor, me di cuenta que había muchos servicios de consultoría y capacitación que ayudaban a organizaciones a hacer cambios, pero pocos ayudaban a los empleados a tratar con el impacto psicológico que los cambios conllevaban.

2. Una oportunidad no reconocida. Esto ocurre cuando cambia la situación en la que está el individuo o la organización. Lo único que requiere es alguien que se dé cuenta de lo que puede hacerse, para que la gente diga: "¿Por qué no hicimos eso hace mucho?" Tal vez haya tal situación en la que los clientes de su organización tengan una necesidad que no fue satisfecha.

3. Un recurso subempleado. Esta situación pasa cuando no se utiliza lo que un individuo u organización podría capitalizar. Tal vez se debe a la rigidez en el pensamiento, o porque aún nadie sabe cómo aplicar el recurso en cuestión, pero cuando aparece la "respuesta", el éxito puede suceder muy rápidamente. Los restaurantes, por ejemplo, desde hace mucho tienen más capacidad para preparar comida que servirla a los clientes. Pero hasta hace poco, pocas tiendas preparaban comida para llevar o para enviar.

4. Un "evento revelador", especialmente un éxito o fracaso inesperado. Nos gusta pensar que captamos los indicios que nos envía la vida para señalarnos que las cosas ahora son distintas. Desafortunadamente, cuando cobran la forma de un éxito o fracaso inesperado, con frecuencia no los vemos porque estamos muy entusiasmados con el éxito, o demasiado molestos con el fracaso. También estamos atrapados en nuestra propia reacción para notar el indicio. En realidad, el fracaso puede decirnos: "No fue tu culpa; es que la forma de hacer las cosas ya es obsoleta"; y el éxito podría decirnos: "No te deleites tanto, como para no notar que tal vez deberías hacer algo que nunca antes intentaste".

5. Un cambio no reconocido. Frecuentemente los cambios ocurren de manera gradual y requieren de mucho tiempo para ser comprendidos, aun por las personas más afectadas por ellos. Lo anterior es especialmente verdad en los "cambios de paradigma", en donde toda una forma de ver las cosas se disuelve y toma su lugar otra distinta. Este cambio redefine en su totalidad las necesidades no satisfechas del área afectada. En esta categoría entra todo un rango de productos y servicios para familias con dos carreras o con un padre que trabaja. La demografía cambió y también las necesidades, pero las empresas siguieron pensando en "familias", como si todas las madres de familia fueran amas de casa.

6. Una situación "imposible". Estas situaciones son tan graves que los demás dejan de percibirlas como necesidades insatisfechas, o incluso como problemas por resolver. En vez de eso lo ven como condiciones horribles, frustrantes y desesperantes con las que hay que aprender a vivir. Pero se trata de necesidades insatisfechas, con grandes gratificaciones para quien pueda hallar un modo de satisfacerlas. Las antiguas máquinas copiadoras necesitaban continuamente de mantenimiento, por lo que todos se acostumbraron a esta frustrante realidad, hasta que Canon comenzó a producir copiadoras que casi nunca fallaban (como ocurre con tanta frecuencia, las demás empresas no tenían muchos "deseos" de resolver este problema, porque ganaban mucho del mantenimiento).

7. Un servicio inexistente, pero necesario. Los síntomas de esta necesidad son una persistente frustración, la existencia de un complicado conjunto de procedimientos para evitar el problema, o una constante discusión acerca de "deberíamos tener (esto o lo otro)". Con frecuencia una sesión de tormenta de ideas puede revelar servicios necesarios. Si alguna vez usted tuvo una enfermedad seria durante un periodo prolongado, por ejemplo, sabe que debería haber una mejor forma para que los médicos e instituciones compartieran

146

información acerca de usted en lugar de enviarla, o haciendo que usted lleve a mano copias y películas de la información sobre sí mismo. Éstas se pierden. No llegan a tiempo a su cita. Copiar lleva tiempo. Es una pesadilla para el paciente y también enloquece al personal médico.

8. Un problema nuevo o emergente. Siempre hay un retardo entre la aparición de una dificultad y el poder reconocerla como lo que es. Esa brecha está llena de "palos de ciego" y repetidos intentos de hacer que funcione el antiguo modo. Es un momento en que la capacidad de definir el problema, formularlo en palabras, o el solo hecho de ponerle un nombre puede gratificarnos inmensamente. Todos los problemas asociados con administración, gratificación, evaluación y organización de una fuerza de trabajo es laborizada. Por cierto, quizá *ése* es el mercado que tanto estuvo buscando.

9. Un obstáculo, un cuello de botella, una escasez, una limitación o una debilidad crónica. Los problemas que ocurren una y otra vez enloquecen a todos. El sistema en su conjunto quizá sea adecuado, pero "tenemos este cuello de botella donde todo se frena hasta detenerse". "Este artículo siempre nos hace falta." "Conseguimos abarcar mucho y luego nos topamos con pared." "Somos inherentemente débiles en este aspecto particular." Muy bien, ésta es la señal de una necesidad insatisfecha. Aprovechando de nuevo mi propia experiencia, recuerdo el momento en que un administrador dijo: "Tenemos que cambiar, pero todos están tan ocupados defendiendo la importancia de su empleo que..." (nunca escuché el resto de la frase, porque las implicaciones reverberaban en mi mente).

10. Una interfase entre grupos que tienen valores, idiomas o puntos de vista distintos. Sea entre la organización y sus clientes, los trabajadores fijos y los eventuales, o las operaciones internas y las subcontratadas, las organizaciones modernas están llenas de "interfases", donde la comunicación se interrumpe. Cada uno de ellos es lugar de numerosas necesidades insatisfechas. Conforme las actividades o funciones antes integradas se dispersan, se multiplican las fronteras, de manera que ésta es una necesidad insatisfecha y que en los años venideros tiene un crecimiento garantizado.

Al leer estas señales, piense en otras de mercados que conozca bien. Piense en la forma en que las necesidades insatisfechas de su vida aparecen y cómo su existencia está señalada por situaciones, sentimientos o conductas. Añada mentalmente sus propias "señales" a las diez anteriores.

Comercialización y "comercializarse a sí mismo"

"No sé cómo venderme a mí mismo." Es muy común que casi todos tengan alguna versión de este lamento, cuyas carreras estuvieron hasta ahora basadas en los empleos. Lo sé bien. Me sentí exactamente igual durante los primeros años, luego de que dejé mi empleo como maestro universitario en 1974. Peor aún, llegué a pensar que "venderse" a uno mismo es simplemente un paso más hacia la prostitución. Me refiero a que uno debería olvidar sus propios valores y hacer lo que la gente quiera de nosotros, ¿no es así? Era necesario entorpecer todo hasta llegar al mínimo común denominador y convertir todo en un discurso de ventas, ¿verdad?

Las respuestas a estas preguntas son, respectivamente, no, no y no. La comercialización no es "venderse". No hay nada de malo en vender. En realidad, es un proceso en tres etapas:

1. Se identifican las necesidades insatisfechas de diversos grupos e instituciones en el mercado de trabajo, luego se analiza cuál corresponde a los recursos que podemos ofrecer.

2. Se combinan las necesidades insatisfechas identificadas con los DATA que podemos ofrecer en un *producto* que capitalice los recursos y confiera beneficios apreciables para el cliente.

3. Se aprovecha nuestra comprensión de las necesidades insatisfechas y los DATA para argumentar de forma efectiva sobre la manera en que el producto satisface las necesidades en cuestión.

En este punto, "vender" expresa lo que es genuino para nosotros (como lo garantizan nuestros DATA) y podrá satisfacer una necesidad genuina que tenga su cliente. ¡No hay nada sórdido!

La segunda y tercera etapas de la comercialización serán el tema del capítulo 8 y la venta del producto final se examinará en el capítulo 9. Por ahora, lo esencial es que revise los mercados disponibles para usted y descubra cuáles son sus necesidades insatisfechas. En tanto no lo haga, no tendrá un producto viable. Y en un mundo deslaborizado un trabajador sin producto es como una empresa sin producto: lleno de recursos potenciales, tal vez, pero competitivamente fuera del juego. Eso sería una pena, porque esta etapa básica de la comercialización es tan directa y realizable como importante. Los pasos quizá no le sean familiares, pero no son en absoluto difíciles de aprender.

Identifique sus mercados y necesidades

Primer paso

Particularice los mercados respondiendo al siguiente cuestionario. La cuestión *A*, por ejemplo, pregunta por "su grupo, lugar, departamento o equipo particular". ¿Cuál será éste? ¿Cuál de ellos es el mercado donde usted puede buscar necesidades que por lo pronto están insatisfechas? La pregunta *B* se refiere a su organización en general: ¿es eso práctico? Necesitará ir a los detalles.

A. El grupo, lugar, departamento o equipo en particular dentro de la organización para la que usted trabaja:

_____

_____

B. La organización en general para la que trabaja:

_____

C. Alguna otra parte de su organización:

_____

_____

D. Alguna organización anterior para la que trabajó, en parte o de manera general:

_____

_____

E. La industria o área pública en la que está su organización actual (o la anterior):

_____

_____

F. Su propio oficio o profesión:

_____

_____

G. Su comunidad:

_____

_____

H. Algún grupo, comunidad u organización que conozca:

_____

_____

I. Individuos como usted:

_____

_____

J. El mercado masivo:

_____

_____

Segundo paso

Ahora identifique las necesidades insatisfechas que descubrió durante el año pasado. No olvide anotar los detalles. La primera pregunta del cuestionario pide "una pieza faltante en un patrón o secuencia". Muy bien, ¿pero qué es un patrón o secuencia? He aquí algunos ejemplos:

- El proceso de levantar pedidos donde usted trabajaba antes.
- La forma en que una nueva familia encuentra una escuela e inscribe a sus hijos en ella.
- La manera en que una nueva capacitación requerida por una agencia gubernamental termina en un curso de capacitación para las personas que la necesitan.

Imagine un ejemplo de cada una de estas necesidades insatisfechas:

1. Una pieza faltante en un patrón o secuencia:

_____

_____

2. Una oportunidad desconocida:

_____

_____

3. Un recurso desaprovechado:

_____

_____

4. Un evento revelador, es decir, un éxito o fracaso inesperado:

_____

_____

5. Un cambio aún no reconocido:

_____

_____

6. Una situación "imposible":

_____

_____

7. Un servicio inexistente, pero necesario:

_____

_____

8. Un problema nuevo o emergente:

_____

_____

9. Un obstáculo, un cuello de botella, una escasez, una limitación o una debilidad crónica:

_____

_____

10. Una interfase entre grupos distintos:

_____

_____

Tercer paso

La siguiente tabla relaciona estas dos listas. Piense en las intersecciones que hay entre las dos listas, tal y como está representado por la tabla de la siguiente página. Ponga una X en los cuadros donde se junten una necesidad insatisfecha y un contexto en particular: si es usted consciente de un "recurso desaprovechado" (3) en "su comunidad" (G), por ejemplo, ponga una X en el cuadro G3. Marque todos los cuadros que representan cuestiones en las que usted pudiera dar un ejemplo.

	A	B	C	D	E	F	G	H	I	J
1										
2										
3										
4										
5										
6										
7										
8										
9										
10										

Cuarto paso

En los lugares de la tabla donde escribió una X, usted tiene una oportunidad potencial. Las oportunidades *viables* para *Usted, S.A.* existen únicamente en donde la necesidad coincide con sus DATA. A partir de los cuadros marcados, elija tres que le parezcan interesantes y descríbalos brevemente a continuación.

Oportunidad uno:

_____

_____

_____

Oportunidad dos:

_____

_____

_____

Oportunidad tres:

_____

_____

_____

_____

Conclusión

Este enfoque de comercialización para encontrar trabajo puede demostrarle que necesita aprender más de sus clientes potenciales y sus necesidades insatisfechas de lo que sabe ahora. Aun si estas necesidades están justo enfrente del lugar donde usted trabaja, su actitud centrada en los empleos podría evitarle que las vea. Pero no se sienta abochornado por no saberlo. Sólo es un producto secundario de un punto de vista que debía tener para ser contratado para un empleo, obtener buenas evaluaciones de cómo cumplía con su empleo y cómo obtener aumentos de sueldo por realizar una buena tarea. ¡No es de extrañarse que usted esté centrado en el empleo!

La "imaginación mercadotécnica" que será necesaria para tener éxito en el mundo deslaborizado del mañana puede comenzar a desarrollarla inmediatamente. Necesita imaginar que es usted el detective que investiga un caso, o un escritor en un proyecto de investigación, o un consultor que trata de entender qué anda mal en una compañía, o un estudiante que trata de aprender un nuevo material. Elija su metáfora, o cree otra para la perspectiva de investigación que el comercializador necesita tener. Debe preguntar, escuchar y pensar desde nuevos puntos de vista.

Con seis meses de tal investigación sabrá mucho de su mercado potencial que ahora desconoce. Suponiendo que en estos momentos es lo suficientemente afortunado como para tener empleo, utilícelo como una especie de "auxiliar de estudio" para aprender. Si ahora está desempleado, quizá pueda encontrar un empleo que represente un periodo de estudio. Pero haga lo que haga para pagar la renta y las cuentas del supermercado, necesita entender cómo funciona su mercado y qué necesidades insatisfechas existen en él. Los libros sobre cómo encontrar empleo le dirán que forme una "red". Es verdad que la comercialización es más efectiva cuando se tienen (y tienden) buenas redes. Pero la verdad es que las personas a quienes les va mejor ya tenían buenas redes *antes de que las necesitaran*. Es importante recordarlo, por dos razones:

156

1. Le recuerda seguir con este proyecto. Ahora mismo. Aun cuando su empleo "sea muy seguro", ahora es el momento de hablar con otros, incluidas las organizaciones que le interesen, o el oficio o profesión que desee practicar.
2. Cuando no se tiene la red en su lugar, le piden hacer "entrevistas de información". Existe un par de problemas con tales entrevistas: el primero es que la gente que conoce las oportunidades generalmente está sobrecargada con las solicitudes de esas entrevistas; el segundo es que cuando por fin llegamos a ellos, en realidad estamos esperando que nos ofrezca un empleo y nos delataremos sin siquiera darnos cuenta. "Esto es sólo una entrevista de información. ¡De veras! ¡No le estoy preguntando si tiene algún empleo! ¡Hablo en serio! (por cierto, ¿no tiene alguno?)". Quizá usted nunca exprese abiertamente esa pregunta entre paréntesis, pero se filtra por las grietas de lo que usted dice. Entonces la gente se siente manipulada y no deseará ayudarlo.

Así, tendrá que iniciar sus investigaciones como un proyecto de varias facetas. Mantenga el proyecto general en mente cada vez que hable con alguien acerca de trabajo. El proyecto incluirá las siguientes actividades:

- No sólo "entrevistas" formales, sino todas las conversaciones casuales que tenga cada vez que salga a relucir el tema del trabajo.
- Leer los periódicos y las publicaciones especializadas. Posiblemente tenga que comenzar recortando artículos o anotando información al toparse con ella. Prográmese un horario en las bibliotecas para revisar las mejores publicaciones especializadas en el mercado que eligió.
- Visite los locales de sus clientes potenciales para obtener impresiones de primera mano de lo que se necesita. También deberá llevar consigo toda información que pueda obtener sobre el cliente y leerla cuidadosamente.

El punto es que necesita *conocer* a su cliente de una forma en que nunca conoció a su propio empleador. Usted busca necesidades insatisfechas. En el mundo del trabajo era responsabilidad del empleador traducir esas necesidades insatisfechas en las tareas, algunas de ellas asignadas a los empleados existentes, y luego turnar el resto a "requisitos de trabajo", que después se convertían en "plazas abiertas".

Pero esperar a que eso suceda y luego aplicarlo ya no tiene ningún caso. En primer lugar, el empleador está tratando de reducir costos y no quiere contratar a más empleados de tiempo completo y a largo plazo; en segundo, siempre hay alguien dentro de la organización que se entera del empleo antes de que se ofrezca públicamente y le avisa a algún amigo. Finalmente, el enfocarse en el "empleo" nunca toma en cuenta lo que el cliente está realmente buscando: una solución a una necesidad específica e insatisfecha. En realidad el cliente busca "un producto" de algún tipo. Cómo combinar sus DATA y la información de mercado para formar un producto es el tema del siguiente capítulo.

8. Cree su producto

*No es el empleador quien paga
los sueldos; sólo maneja el dinero.
Es el producto lo que paga los sueldos.*

HENRY FORD

Por qué más vale tener un "producto"

Cuando escribí *JobShift* incluí dos páginas sobre cómo crear su "producto". En ese análisis general, el tema era secundario. Pero en esta guía, el tema de la creación del producto es central, porque éste es el que su cliente comprará. Decir que usted "busca un empleo" es salirse de la órbita de la era deslaborizada, porque lo que realmente está haciendo es vender un producto al cliente.

Hubo enormes cambios en la estructura de oportunidades de nuestra economía, por lo que hoy la situación de la oportunidad está (como vimos en el capítulo anterior) en las necesidades insatisfechas de los clientes. Conforme las grandes organizaciones se dispersan, muchos de los clientes a los que dará sus servicios son los gerentes y ejecutivos de aquellas organizaciones, a los cuales les satisfacían sus necesidades mediante empleados fijos. O son los administradores y líderes de las piezas dispersas de lo que antes eran grandes organizaciones, pero que ahora no tienen el personal para hacer todo dentro de la empresa. En cualquiera de estos casos, cada vez es más probable que los clientes se salgan de sus propias organizaciones para satisfacer sus necesidades.

Pero usted debe entender qué es lo que buscan estos clientes. No están buscando "buenos candidatos", "profesionistas bien capacitados", "trabajadores con experiencia" o cualquiera de los elementos que pertenecían al proceso de solicitud de empleo. Estos clientes buscan soluciones a sus problemas y respuestas a sus necesidades, para decirlo en pocas palabras, buscan "productos". Estos clientes buscan productos *especialmente* cuando los tiempos son tan difíciles que no existe "un empleo" en kilómetros a la redonda.

Sin embargo, cuando pregunto a la mayoría de las personas cuál es su "producto", quedo dentro de un intercambio confuso similar a la frustrante incomunicación que puede nublar la cuestión del mercado de cada uno. He aquí un ejemplo:

—¿Se refiere al producto de la compañía? —preguntó la administradora.

—No, me refiero al suyo —repliqué.

—Y bien, yo estoy en el Departamento de Personal —respondió.

—Muy bien, es una actividad interesante. ¿Cuál es su producto?

—Soy especialista en beneficios y prestaciones.

—Un puesto muy interesante. Pero, ¿cuál es su *producto*?

—Prestaciones y beneficios —me respondió ella, pero, a juzgar por su tono, sabía que no entendía a qué me refería yo.

—Ése no es realmente un producto —contesté—. Un producto es algo que alguien compra. Presento una solución a un problema, algo que confiere una ventaja, algo que satisface una necesidad, que explota una posibilidad. Los sistemas de beneficios y prestaciones son sólo un mueble organizativo.

—No, no lo son. Motivan a la gente, comunican prioridades, ayudan a la gente a dar sostén a sus familias, representan el contrato psicológico entre la empresa y sus empleados —puede notarse que esta administradora realmente conoce y cree en el valor de su trabajo.

—Ahora nos estamos acercando al asunto. La compañía necesita compensar a sus trabajadores por todas esas razones. Así, el sistema de beneficios y prestaciones es necesario, eso justifica su departamento, ¿pero qué la justifica a usted? ¿Qué podría suministrar para que valiera la pena pagar su sueldo cada semana? Quiero saber qué podría hacernos decir, al pagarle su sueldo: "Es dinero bien invertido. ¡Esa persona realmente añadió valor a lo que los clientes adquieren con su dinero!"

Ya podrán notar hacia dónde se dirige esta conversación, aunque debo admitir que aun cuando llega hasta estas alturas, aún falta mucho tiempo antes de arribar al resultado lógico. La dificultad es que aunque las organizaciones hablan mucho de "actividades con valor añadido" y "asegurarse de que todo lo que hagamos beneficie a nuestros clientes", la gente en realidad no puede captar estas ideas, sino hasta que dejan de verse a sí mismas como personas que fueron contratadas para "cumplir con su empleo".

Hablar con la gente tampoco podrá hacerles cambiar sus percepciones; la gente oye decir todo el tiempo que más vale que sus empleos contribuyan al beneficio de lo que recibe el cliente, o los perderán. ¡Todos son empleos, empleos, empleos! Pero ya hay un cambio que se está iniciando, no porque alguien lo provoque, o porque algún director general lo desee, o porque las reglamentaciones gubernamentales lo alienten, o porque los consultores como yo hablemos de ello.

El cambio está impulsado por las seis fuerzas identificadas en el capítulo 1:

1. *Trabajo de conocimientos*, que es mucho más difícil de clasificar en empleos convencionales a largo plazo que el trabajo físico de la era industrial, por lo que es más probable que necesite trabajadores agrupados en equipos interfuncionales de vida breve. El trabajo con conocimientos también tiene varios ciclos de producto y producción, y ambos originan una desventaja de las disposiciones organizativas fijas.

2. *Comunicaciones y tecnología de información,* que hace posible el trabajo de conocimientos, pero también permite la organización, dispersar a sus trabajadores, separar a los grupos que trabajan en labores relacionadas y asignar tareas a grupos que ni siquiera son parte de la empresa. La tecnología de comunicaciones e información también acelera el ritmo de cambio con el que debe lidiar la compañía.

3. *La velocidad del cambio*, que es tanto un efecto como una causa de los dos aspectos anteriores, exige que las organizaciones aban-

donen todo lo que frene ese ciclo que se inicia identificando la necesidad del cliente; pasa por el diseño, producción y distribución del producto, y termina con servicios adicionales para el cliente satisfecho.

4. *Respuestas de la administración a una mayor competencia.* Todo, desde la reingeniería a la ACT, pasando por los equipos facultados e intercapacitados. Cada uno de estos esfuerzos pone nuevos cambios sobre los anteriores y sigue erosionando el empleo tradicional.

5. *La dispersión de la organización.* Todos los factores fluyen, como tributarios en un río, hacia una tendencia para acabar con la organización tradicional e integrada en las actividades que la componen, y unir esas actividades de forma más libre que antes. Algunos de estos elementos dispersados son turnados a los trabajadores que no son empleados de tiempo completo y de largo plazo.

6. *El mercado creado por los* baby boomers. Esto elevó la demanda de productos individualizados, inmediatos y con valor añadido, que requieren del tipo de trabajo anteriormente descrito. Además, debido a sus mentalidades de "agentes libres", los *baby boomers* tienden a estar dispuestos a lanzar sus propios productos y, aun cuando están empleados, consideran las limitaciones del empleo tradicional como más onerosas que como le parecían a sus padres.

Una vez identificadas las fuerzas que funcionan en el mercado de trabajo actual, ahora podemos decir que no sólo son los empleos los que están frenando las cosas. Los empleos no maximizan los beneficios de la nueva organización, ni satisfacen sus necesidades. En tanto que la nueva organización está externamente "impulsada al mercado" a una mayor medida que sus predecesoras, también está internamente "impulsada al mercado".

Para servir a su mercado interno, la organización posindustrial no necesita de empleados leales (que ni siquiera comprenden que la organización es un mercado), sino proveedores comprometidos y con mentalidad de mercado de los productos y servicios que la organización necesite. Por ello argumento que la persona que desea formar una carrera alrededor de dar servicio a tal organización, debe olvidarse de un empleo y crear, en vez de ello, un producto que satisfaga algunas de las necesidades específicas y más apremiantes de la organización.

¿Por qué "producto"?, ¿por qué no "servicio"?

La razón por la que sigo utilizando el término "producto" es que los mercados, especialmente el interno, favorecen los productos. La mayoría de las organizaciones prefiere el estilo transaccional de un producto, que es una entrada transformada en salida, misma que la gente debe pagar por lo que obtienen. Los productos llenan nichos creados por necesidades insatisfechas y son fáciles de comprar o vender, según sea necesario. Es fácil presupuestarlas. Se justifican de manera simple sobre una base de costo-beneficio.

Muchos empleados preferirían hablar de los "servicios" que ofrecen a su empleador, pero existen muchas razones por las que el término no es tan útil:

- Los servicios son difusos y llega el momento en que se separan de la necesidad que deberían satisfacer.
- El servicio es un concepto inherentemente conservador que tiene menos posibilidades de cambiar que una situación cambiante, como lo es un producto. El mundo de los productos, por naturaleza, connota innovaciones y cambiantes disposiciones comerciales.
- Es más difícil y menos común entender o juzgar servicios sobre una base de costo-beneficio, porque su definición es menos clara que los productos.
- Los servicios atraen más las preferencias privadas del cliente que los productos, pues tienen más posibilidades de relacionarse directamente con alguna necesidad organizativa identificable.

Lo anterior provoca que los valores de los servicios sean más difíciles de determinar mediante normas objetivas.

No niego la utilidad de la distinción convencional entre organizaciones que fabrican productos y organizaciones que proporcionan servicios. Sin embargo, deberíamos hacer notar que esa distinción se hace cada vez más espinosa, puesto que las empresas de computación descubren que "entregar servicios MIS" es su producto, y las empresas de productos de salud compiten sobre la base de la forma en que el *producto* satisface mejor las necesidades del comprador.

Desde el punto de vista del trabajador, definir como producto lo que se vende impone más disciplina sobre el vendedor que definirlo como servicio. La palabra *producto* nos hace pensar en beneficios para el cliente, ventajas sobre productos rivales y la relación entre el precio que se pide y el valor añadido. Designar lo que hace un individuo como "producto" coincide con la nueva idea del individuo como microrganización, la pequeña *Usted, S.A.*, que se ve sujeta a las mismas fuerzas y limitaciones que las grandes organizaciones. En otras palabras, convertir "trabajo" en "suministrar un producto" ayuda a educarnos en las realidades del mundo en donde nuestros clientes existen.

Cómo el cambio crea oportunidades para los productos

Ya señalamos que el cambio crea nuevas oportunidades y destruye otras. Este proceso puede verse claramente cada vez que una industria es atacada por un evento súbito que cambie la forma de hacer los negocios.

Esto sucedió hace varios años en la industria del turismo. Los agentes de viajes vivieron dentro del cambiante mundo del turismo y las aerolíneas durante décadas sin transformar los elementos básicos de un servicio más o menos convencional (y me refiero a "servicio" y no "producto") por el que se les pagaba la clásica comisión del 10%. En 1995, la aerolínea Delta cambió ese ramo anunciando que ya no pagaría la comisión; en vez de ello, pagaría honorarios directos de 25 dólares (viajes de ida) y de 50 dólares (ida y vuelta) en boletos nacionales. Otras aerolíneas, empujadas por la competencia y el alza de costos, siguieron rápidamente el ejemplo. De la noche a la mañana, el mercado en que operaban los agentes de viajes cambió dramáticamente.

La mayoría de las agencias de viajes reaccionaron como empleados individuales cuando cambian drásticamente las reglas del empleo. Gritaron indignados, comenzaron a buscar formas de economizar y se aferraron a la vida con la esperanza de que la competencia retrocediera. Pero algunas agencias de viaje tomaron la nueva situación como un mensaje muy distinto: una señal de que era momento de dejar de dar un servicio más o menos convencional y crear, en vez de ello, productos diferentes para satisfacer necesidades insatisfechas. Los resultados fueron diversos y fascinantes.

- La empresa Travelfest redefinió su producto y su propia presencia. El producto ya no eran boletos y su presencia ya no fue la de agencia de viajes. Ahora la presencia era una tienda y el producto era cualquier cosa que el viajero necesitara para viajar, tales como purificadores de agua, solicitudes de visa, guías de viaje, clases sobre cualquier tema, de hablar español a tratar con la fobia a volar y, desde luego, boletos.
- La agencia Aspen Travel pasó por otro tipo de modificación. Eligió el mercado de la producción cinematográfica y redefinió su producto como cualquier cosa que el mercado pudiera necesitar, por ejemplo, "cómo encontrar una caseta de teléfonos AT&T hasta una locación en Belice; o cómo transportar pingüinos a Moab, Utah, sin que sufrieran insolación... [o cómo] acomodar un cambio de destino de último minuto para un grupo de 20 personas".
- La agencia PC Travel redefinió el producto de modo distinto, haciendo que la interfase entre el cliente y la compañía fuesen tan distintos que nada quedó igual. En lugar de que el boleto se fuera a comprar, como una hogaza de pan, PC Travel instaló en Internet todo el proceso de reservaciones y emisión de boletos. La empresa ahora tiene 70 000 usuarios registrados en comercio electrónico y no en venta al menudeo.

La razón por la que ilustro mi argumento con ejemplos organizativos, en vez de ejemplos individuales, es que es más fácil ver la relación entre vendedor y cliente y el papel crítico que desempeña un producto bien definido en un contexto comercial más familiar. Pero recuerde: usted mismo es ya una microempresa. Casi todo lo que ofrezca una organización estará en competencia con lo que ofrece otra (y si lo desea "real"). Así, también podría acostumbrarse a pensar, en estos términos. Además, estos ejemplos lo ayudarán a ver la relevancia de las docenas que aparecen cada semana en la prensa especializada.

Concebir el mercado

Al comenzar a pensar en cómo desarrollará su producto, necesita recordar lo importante que es concebir claramente el mercado. Las personas hablan de cómo hacer distinta a su organización o a usted mismo, pero con frecuencia no notan que esta "diferenciación" es sólo cosmética si no se basa en una concepción distinta del mercado. Esta diferenciación superficial es, de hecho, lo que da al concepto de "reubicación" en el mercado su reputación de ser un "giro" verbal que en realidad nada cambia. Pero realmente concebir un mercado distinto tiene resultados profundos y duraderos. Imagine que decide que sus DATA hacen un producto personal muy atractivo para usted. También espera que pueda convertir en recurso el hecho de ser mujer afroamericana. Usted quiere que su producto sea algo que "mejore" al mundo (Deseo). Usted es eficaz para explicar cosas, particularmente haciendo que la gente las vea desde un nuevo punto de vista (Aptitud). Su Temperamento se presta para el trabajo interpersonal, el aprendizaje y la actividad grupal.

Así, decide que su producto será un programa de capacitación en diversidad. No sólo coincide con sus DATA, sino que todos comprenden que las organizaciones necesitan ayuda con problemas relacionados con la diversidad. Hasta ahora, todo bien. Pero en este punto (y así acostumbra ser) necesitará volver a revisar la cuestión de la mercadotecnia para diferenciar el producto lo suficientemente bien para satisfacer una necesidad que sea tanto reconocible como insatisfecha. En este caso, ¿específicamente para quién es el programa de diversidad?

166

- ¿Es todo un mundo o toda una nación la que necesita aprender a vivir de manera efectiva con diferencias que en otra forma lo dividen?
- ¿Es para ejecutivos que comienzan a reconocer que sus organizaciones se verán perjudicadas si están en medio de una demanda muy publicitada?
- ¿Es para líderes de equipo de mentalidad relativamente tradicional, que ahora necesitan desesperadamente aprender cómo utilizar los talentos de los equipos tan diversos que conducen?
- ¿Es para empleados individuales que necesitan aprender cómo contribuir a un esfuerzo común y seguir siendo sinceros consigo mismos?

Ahora imagine que esta idea del proyecto comenzó cuando oyó hablar del rumor de que su antigua empresa se interesaba en iniciar "capacitación en diversidad". Lo que quizá no supo es para qué grupos estaba dirigido. Y quizá la empresa misma no lo sepa. Es allí donde necesita trabajar un poco: una de las labores que impone la deslaborización sobre el trabajador individual es colaborar con el cliente para definir la tarea a cumplirse. En tanto no establezca su público, no tendrá un producto para vender. Simplemente anunciará una panacea, una "cura para cualquier mal" y sus posibilidades de éxito serán pocas.

No necesita elegir un campo de vanguardia

Norm Brodsky es un empresario que inició varios negocios con éxito y dice que su primer criterio para elegir el mercado al que desea entrar es "algún concepto que tenga 100 o más años". Luego de mencionar esto, admite que no quiere decir literalmente todo un siglo, sino que la cuestión es que debe tratarse de "un concepto establecido, algo que todos entiendan. No es nada nuevo ni revolucionario". ¿Por qué? "Porque no hay nada más costoso que educar a un mercado."

No necesita estar de acuerdo con la preferencia de Brodsky por productos que los clientes puedan reconocer desde el primer día. Yo mismo nunca seguí esa regla. Mis propios DATA son que disfruto y trabajo bien en mercados que aún no están totalmente comprendidos por sus clientes o por los proveedores de producto. Esto me emociona. Apenas empiezo a escribir nuestro programa de diversidad, aún no articulado, y ya estoy imaginando cómo lo venderé a los ejecutivos y gerentes. De todas formas, Brodsky tiene razón. Educar al mercado para que se reconozca a sí mismo como mercado es algo que requiere tiempo, energía, nuevas ideas y tolerancia para resultados lentos. Y el dinero no hace daño a nadie.

La economía está llena de productos muy efectivos que el cliente no reconoció como benéficos, sino hasta que se crearon: la Minivan de Dodge y el Walkman de Sony fueron descartados por grupos de consumidores como poco interesantes, cuando estos productos estaban en las primeras etapas de su desarrollo. Podemos imaginar las reacciones: "Veamos si entiendo lo que me dice. ¿Fabricará una unidad estereofónica que la gente pueda poner en sus cinturones? ¿No será muy pesado? ¿Sólo un poco más grande que una cajetilla de cigarros? ¡Oigan, yo quiero oír música, no estática!" El segundo criterio de Norm Brodsky para un nuevo negocio es aún más útil para el trabajador deslaborizado: "Quiero [una situación laboral] que sea anticuada. No necesariamente quiero decir 'obsoleta'. Hablo de una empresa en donde la mayor parte de [la competencia] esté desfasada con el cliente". Esto con frecuencia significa dirigirse a aquellas partes del mercado que se rezagaron en los cambios que se hicieron en otra parte, por ejemplo, las operaciones de oficina de una empresa que se adelantó a los demás en sus áreas de mercadotecnia y de servicio al cliente.

Pero esta misma situación, tras la curva, puede existir en aquella parte de la organización de su cliente que avanzó más rápidamente que el resto. Cuando una parte de una empresa está frente a la multitud, las interfases entre éstas y el resto de la compañía son seguramente problemas, llenos de malos entendidos, propósitos mezclados y necesidades no sólo insatisfechas, sino que ni siquiera se pueden describir.

El criterio final de Brodsky para una empresa que vale la pena iniciar es la existencia de un *nicho*, que corresponda, en nuestros términos, a una necesidad insatisfecha muy bien definida. Utiliza el ejemplo de uno de sus propios inicios, una compañía de almacenaje de registros llamada CitiStorage. La mayoría de compañías de almacenaje de registros eran sólo lugares donde se guardaban documentos viejos. Llegar hasta estos documentos, al surgir la necesidad, era tan difícil que las organizaciones a veces dejaron de hacerlo, aun cuando realmente necesitaban la información. Las únicas excepciones a la estrategia de guardarlos y olvidarlos eran dos instalaciones enormes y técnicamente muy sofisticadas, tan alejadas en el campo, que las compañías se sentían aisladas de sus registros.

El "nicho" de Brodsky fue una instalación urbana y técnicamente sofisticada, donde los registros pudieran guardarse en cajas, pero recuperarse rápidamente con ayuda de maquinaria automatizada. En nuestros términos, diríamos que halló una necesidad insatisfecha en el mercado e inventó un producto para satisfacerla. No es de sorprenderse que CitiStorage tuviera mucho éxito.

No sólo puede estar el producto en un campo más o menos tradicional, sino que puede incluso representar un retroceso, en donde volvemos a lo que antes era importante, pero que se perdió en el camino. Tomemos, por ejemplo, a Black Oak Books, una librería independiente en Berkeley, California. Su mercado son los lectores e investigadores sofisticados de esa población universitaria, pues formó su reputación originalmente como un lugar en dónde encontrar libros usados y ediciones raras.

Sin embargo, cambió su enfoque en el transcurso de los años, dejando atrás ese producto y convirtiéndose simplemente en una buena librería de barrio para libros nuevos. El trabajo era más fácil, requería de menos conocimientos y el producto aparecía considerablemente más rápido. Pero entonces las grandes cadenas nacionales, con sus descuentos, sus megatiendas y sus enormes presupuestos de publicidad entraron al mercado de Black Oak Books. Comenzaron los números rojos. Después de un difícil periodo de autoestudio, Black Oak revirtió su dirección y volvió a basarse en su antiguo producto: libros usados. Los resultados fueron sumamente efectivos. Redujo su deuda a la mitad y transformó pérdidas graves en ganancias consistentes y crecientes.

En una sociedad tan orientada a la innovación como la nuestra, la gente (y las empresas) abandonan rápidamente productos cuyo mercado se reduce. Pero estos mercados en reducción pueden resultar excelentes oportunidades para productores comprometidos, debido a lo que a veces se llama fenómeno del "último esquimal". Obviamente, la venta de hielo ya no es el negocio que era en la época de las neveras, pero cuando los proveedores se reducen a uno solo, éste tiene todos los negocios existentes, lo que puede ser una cantidad significativa. Es por ello, por ejemplo, que aún existen fabricantes de bulbos para radios.

El camino individual a un producto

Es edificante rastrear este proceso de invención de productos en la vida de un trabajador deslaborizado. Tómese a William Gibson, que actualmente es ejecutivo, pero que comenzó su búsqueda de producto con un empleo universitario como repartidor de periódicos. Aunque pasó mucho tiempo antes de que esa experiencia resultara ser un recurso relevante para el resto de sus DATA, resultó valiosa su experiencia y fascinación por la forma en que se repartía el diario *Philadelphia Inquirer*.

Mientras tanto, se hizo programador de computadoras y luego gerente de programadores. Finalmente, llegó a la presidencia de la empresa Scientific Timesharing, cuyo producto era tiempo de máquina. Cuando el producto llegó al final de su vida, comenzó a buscar otra necesidad insatisfecha y otra forma de utilizar su recurso. Reconoció que su empresa desarrolló la capacidad de rastrear interacciones altamente complejas, como el tiempo que se acumuló utilizando una computadora, y buscó un mercado que necesitara tal recurso. Wal-Mart y otras cadenas de tiendas hablaban de su necesidad por reducir su inventario a un enlace computarizado y en tiempo real entre distribuidores y tiendas, llamado Intercambio Electrónico de Datos (IED). Abandonó Scientific Timesharing e inició un proveedor de software llamado Manugistics. Gibson adaptó su tecnología al mercado IED y se convirtió en el proveedor de Wal-Mart. Sobre la base de este éxito, poco después también tenía a 14 de los principales supermercados del país.

Más recientemente, respondiendo a otra necesidad insatisfecha, logró duplicar las ganancias de Manugistics entre 1993 y 1996. La nueva necesidad: compañías fabricantes que quieren aumentar la velocidad con la que convierten materia prima en productos y pedidos en entregas, evitando los obstáculos de la cadena de suministro. Es aquí donde la experiencia de Gibson como repartidor de periódicos se convirtió en un recurso. La empresa Timken Steel utilizó Manugistics para obtener un 15% más de sus instalaciones existentes a una pequeña fracción de los 20 o 30 millones de dólares que habrían gastado expandiendo sus instalaciones para asegurar la misma ganancia. Esta nueva tecnología es lo que el director de investigaciones de una de las mayores consultorías de computadoras del país llama "la más nueva área de computación en los Estados Unidos corporativos de hoy".

La experiencia de Gibson ilustra, porque siguió llamando productos a lo que produce el trabajador deslaborizado. El software de Gibson ofrece un servicio, pero en este mundo donde las cosas son compradas por personas que buscan ganancias en velocidad y disminución en los costos, esto se discute fácilmente como beneficios del producto. Y ese hecho nos hace dar un paso adelante en nuestra discusión: se necesita crear un producto, pero lo que realmente se venderá no es el producto, sino los beneficios que proporcionará. Para hacerlo así, se necesita comprender los usos específicos que tendrá su producto. Nuevamente lo enfatizo: estudios o mercado y las necesidades insatisfechas. Entonces puede presentar su producto ante su cliente como soluciones a problemas específicos.

Su propio desarrollo del producto

En una conferencia en Nueva Jersey oí a una ejecutiva hablar sobre su propio cambio de carrera en términos de un producto que descubrió. Ella era gerente de mercadotecnia para Chip's Ahoy de Nabisco, pero su verdadero deseo era trabajar en servicios financieros. Sin embargo, se veía a sí misma como fabricante de galletas, o así lo fue, hasta que se dio cuenta que su producto realmente tenía la capacidad de crear un mercado para algo nuevo, no sólo una nueva galleta, sino cualquier cosa nueva. Habiéndolo descubierto, comenzó a presentarse a sí misma de modo muy distinto ante posibles clientes y empleadores, y terminó como gerente de mercadotecnia para un nuevo fondo de acciones. En el transcurso de su presentación en la conferencia puso énfasis en cómo los títulos de los empleos no distraen del producto que podemos entregar a un cliente. Ilustró su argumento diciendo que los archivistas siguen obteniendo empleos como... archivistas. Pero si pueden verse a sí mismos como expertos en "recuperación de información", se abre ante ellos todo un nuevo mundo de oportunidades.

El filósofo William James dijo que "el genio significa poco más que la facultad de percibir de modo poco habitual". El primer archivista que entró al negocio de recuperación de información era una especie de genio. Y como otros genios, posiblemente fue visto con reticencias por la gente que no comprendía de qué se trataba la "recuperación de información".

Si usted se enfrenta ante tal incomprensión, sólo recuerde:

- La primera audición de Los Beatles ante una compañía disquera no dio ningún resultado, cuando un ejecutivo de la empresa les dijo que "los grupos con guitarras ya van de salida".
- En 1968, la publicación *Business Week* descartó los coches japoneses, declarando: "Con quince tipos de coches extranjeros que ya se venden en el país, la industria automotriz japonesa no podrá obtener una buena porción del mercado".

Estos ejemplos de ceguera, al igual que las personas con las que se pueda topar al desarrollar su propio producto, no necesariamente provienen de la estupidez o la malicia. Las personas que descartan sus ideas simplemente no logran comprender cómo el cambio afecta a los mercados y crea necesidades que pueden ser satisfechas por personas, como convertir en producto a sus DATA.

Los "productos" no son sólo
para empresarios

La forma de crear un producto es más fácil de ilustrar con los ejemplos de trabajadores independientes que ya se separaron de un empleo y que se consideran a sí mismos independientes. Pero recuerde que su independencia más importante es un estado mental, en vez de una situación de vida.

Recientemente yo realizaba algunas sesiones de capacitación en una instalación de la NASA, y uno de los participantes del seminario, Jill, era una ex especialista en recursos humanos que reconoció que el presupuesto de la NASA se reducía y que su departamento afrontaría recortes. Ella tenía una facilidad natural con las computadoras y un deseo de hacer algo más creativo. Gracias a que tomó algunos cursos anteriormente, sabía que pocas veces se diseñan bien los materiales de capacitación.

Cuando Jill vio los primeros recortes, pudo notar que las personas que no aportaran de forma clara correrían riesgos. Tomó sus recursos y decidió que necesitaba un poco más de capacitación en diseño de material instructivo, por lo que se inscribió a un curso en una universidad local. Luego armó una propuesta para la NASA: ella se convertiría en una proveedora para cualquiera que necesitara armar el apoyo visual para presentaciones, cursos y juntas.

El producto de Jill se topó con una necesidad insatisfecha, porque este trabajo era hasta entonces hecho por empleados que no tenían mucha capacitación o conocimientos, o por proveedores externos que cobraban mucho por este servicio. Se aceptó su propuesta y ahora tiene un pequeño comercio dentro de la NASA, produciendo como si se tratara de una proveedora independiente, pero que sigue en la nómina como empleada.

Me topé con otra persona, entre empleado y contratista, que operaba precisamente *afuera* de la división, pero que hacía algo muy similar. El producto de Arthur era asesorar a consultores que tenían problemas con proyectos del cliente, por lo que una empresa consultora muy grande lo conservó como empleado de tiempo completo. Él asistía al seminario que dirigí en la consultoría; yo no habría sabido que no era un empleado de no habérmelo dicho.

Arthur era un consultor independiente y Jill era empleada, pero ninguno de estos términos significaba lo mismo cuando las organizaciones comenzaron a deslaborizar su trabajo. Ambos aprendieron el secreto del análisis de mercado y comprendieron qué es lo que debían ofrecer. Ninguno tenía un empleo en el antiguo sentido de la palabra; ambos tenían en claro un producto.

Esta clase de necesidad de carrera no debe limitarse a un solo papel, porque puede conducir a otros productos y puestos. Una empleada de una empresa de ropa en Nueva York ascendió por la jerarquía organizativa identificando, en una situación tras otra, trabajo que necesitaba realizarse y luego (si coincidía con sus recursos) sugiriendo que ella lo emprendería. "Yo misma fabriqué casi cada empleo que tuve", declaró a un entrevistador. Su propia experiencia la condujo a algo muy similar a una política, porque entonces añadió: "Somos ascendidos no sólo a puestos que existen, sino también a empleos que la gente crea". Incidentalmente, hoy ella es directora general de la empresa, por lo que este enfoque no necesita ir contra sus prospectos de carrera.

Quiero dejar en claro con estos ejemplos que la deslaborización y la necesidad de saber qué es su producto será importante para usted no sólo si decide operar *fuera* de la empresa. El adentro y el afuera ya no son tan distintos como antes. No se trata únicamente de tareas similares realizadas por personas a ambos lados de esa línea, y no sólo las estrategias parecidas sirven de forma igualmente efectiva a personas a ambos lados de esa línea, sino también es muy posible que usted la cruzará durante el resto de su carrera. Operará durante un tiempo como empleado, luego irá por cuenta propia, tal vez volviendo a trabajar a su antigua empresa como proveedor. Será independiente por un rato, después se unirá a otros independientes para trabajar en alguna compañía pequeña. Pero entonces será contratado por algunos de sus clientes y trabajará como empleado por un tiempo. *Afuera* y *adentro*, ya no hay gran diferencia.

Sea cual sea su situación nominal, en algún momento usted será un trabajador con un producto. Y necesitará administrarlo usted mismo, dentro o afuera, como pequeña empresa. Por una afortunada coincidencia, el siguiente capítulo trata de cómo armar esto en *Us-*

ted, S.A. Antes de dejar este tema, asegurémonos de que tiene claro el proceso de desarrollo del producto.

Cómo comenzar a diseñar su producto

Método uno

Revise sus DATA (segunda parte de este libro) y las necesidades insatisfechas o posibilidades inexplotadas en algún mercado que conozca (véase la tabla al final del capítulo 7). ¿Dónde se intersectan? Es en aquel lugar en donde las intersecciones coincidan con los recursos de sus DATA, los cuales le darán la forma de crear un producto comercializable.

Esto no es fácil. Pero recuerde que cualquier tiempo que invierta en sus DATA y sus mercados, se produce conocimiento que puede utilizarse una y otra vez para productos adicionales, extensiones de productos y mejoras. Toparse con un producto sin comprender cuidadosamente sus DATA y sus mercados, en realidad es mala suerte, porque lo hará sentir que sabe más de lo que hace de lo que en realidad es.

Recuerde que un producto no es

- lo que hace en el trabajo o lo que pudiera hacer si tuviera la oportunidad,
- su descripción de empleo o título de puesto y
- su habilidad o la capacitación que tuvo, o la experiencia que trae a un proyecto.

Un producto es

- algo que resuelve el problema de algún cliente,
- algo que confiere un beneficio al cliente,
- algo que produce el resultado que el cliente desea y
- algo que añade un valor que no existe en productos comparables.

Método dos

Imagínese que hoy acaba de ver a su cliente luego de entregar su producto. Imagine cómo su cliente podría responder a las siguientes preguntas:

1. ¿En qué manera yo o mi situación mejoraron desde que *Usted, S.A.* llamó a mi puerta?
2. ¿Qué debo demostrar por el dinero que pagué a *Usted, S.A.*?
3. ¿Cómo puedo medir el beneficio de *Usted, S.A.*?
4. ¿A quién recomiendo *Usted, S.A.*, y por qué?

Método tres

Escriba un anuncio de su producto en el espacio que hay a continuación. Si no se siente listo para hacerlo ahora, vuelva y revise sus DATA y sus posibilidades de mercado. Cuando esté listo, escriba el anuncio. Es una excelente forma de asegurarse de que sabe lo que vende, a quién se lo vende, por qué deberían comprarlo y cómo decirles esto.

9. Ponga en marcha su microempresa

Los días de las gigantescas corporaciones
están terminando. La gente
comienza a crear sus propias vidas,
sus propias carreras
y sus propios éxitos.
Algunas personas se indignan
ante este nuevo mundo,
pero sólo hay un mensaje: todos estamos
en el negocio por cuenta propia.

ROBERT SCHAEN,
ex contralor de Ameritech

El futuro de las pequeñas empresas

Robert Schaen, cuyas palabras abren este capítulo, era ejecutivo de una empresa telefónica. Después siguió su propio consejo: ahora tiene una pequeña editorial de libros infantiles. Luego de leer hasta aquí, apenas se sorprenderá de que pienso que está en lo correcto al decir que ahora "estamos en los negocios por cuenta propia". El capítulo anterior se basó en la suposición de que necesitaba obtener un producto y comenzar a comercializarlo como si usted fuera una pequeña empresa.

Pero hay otro sentido en el que el ejemplo de Schaen es un poco confuso, porque sugiere que debe iniciar una verdadera empresa, con sus propios empleados y toda la parafernalia del mundo corporativo. Schaen eligió la edición de libros infantiles como su nuevo negocio. Usted podría elegir algo distinto, desde luego: publicar una nueva revista, tener un servicio de abastos especializados, abrir una tienda de antigüedades o tal vez comprar alguna franquicia.

Pero no se aventure a una nueva empresa. No es que sea equivocado considerarlo, pero pertenecen más a la era que termina que a la que inicia, es decir, son pequeñas empresas en sentido anticuado: operaciones independientes que eligen un nicho para entrar al mercado masivo y crecer (incluso llegar a ser grandes), si tienen éxito. Ése es un mundo en el que los empresarios ponen muchos esfuerzos al iniciar sus negocios, y luego los venden por un montón de dinero cuando se establecen.

El nuevo mundo no está compuesto de esta clase de pequeñas empresas que se amplían, sino de microempresas que tienen la intención de ser exitosas y lucrativas, pero que no necesariamente desean convertirse en grandes consorcios. No tienen intenciones de crecer demasiado, porque su meta es capitalizar las oportunidades de ser pequeñas y simples. Se trata de *átomos* de una sola persona o de *moléculas* de uno o dos miembros y un par de personas de apoyo. No son "pequeñas empresas" en el sentido convencional de la tienda de abarrotes, la empresa de muebles o el consultorio del dentista suburbano.

Una diferencia es que su mercado está formado de otras organizaciones, en vez de clientes individuales. Aun ahí, no se trata de "proveedores" tradicionales. Más bien proporcionan a sus clientes alternativas ante la contratación de un nuevo empleado o de una docena. Estas nuevas pequeñas empresas no son tiendas que dan servicio a clientes locales, sino que forman una parte integral de una red organizativa amplia, libre y enlazada electrónicamente que realiza una nueva especie de actividad comercial "distribuida". Las antiguas pequeñas empresas aspiraban a ser grandes. Las nuevas pequeñas empresas aspiran a crecer como operaciones cada vez más sofisticadas y más especializadas, no como "organizaciones crecientes y de propósitos múltiples" en el sentido antiguo.

En la misma manera en que muchos individuos siguen buscando la antigua forma de empleo, muchas personas que piensan en iniciar una pequeña empresa siguen imaginando el antiguo modo de esa actividad. Pero esa senda se estrecha, puesto que la gente que intenta entrar aumenta cada vez más. El resultado: un obstáculo. Una ruta alternativa que es mucho más amplia y libre de tráfico es el mundo de la actividad que se distribuye entre los átomos y moléculas de las microempresas.

Si su intención es unirse a esta creciente área de negocios, existen dos cosas que necesita entender, que no son tanto conceptos como verdades que debe asimilar.

- No necesita aprender cómo iniciar una pequeña empresa, más bien debe reconocer que ya es una pequeña empresa y ahora sólo necesita aprender cómo actuar como tal.
- Además, esto se aplica aunque ya no tenga un empleo, no esté aún empleado o tenga actualmente un empleo en una gran organización y no quiera salirse. En cualquier caso, usted ya es una pequeña empresa.

Al considerar "su propia empresa", recuerde estos hechos. No estoy tratando de provocar que renuncie a su empleo o que deje de buscar otro. Lo que intento es que abandone el marco de referencia basado en los empleos, y en vez de ello desarrolle un marco mental de microempresa.

¿En qué negocio está ahora?

¿Qué clase de negocio? Ésta es la primera pregunta que debe responder si quiere funcionar efectivamente en este nuevo mundo. Esa pregunta siempre se refería al ramo en el que estaba su empleador, pero como ahora usted mismo es una empresa, de quien estoy hablando ahora es de usted. Así, ¿en qué negocio está usted?

Esa pregunta está estrechamente relacionada con aquellas acerca de su producto, las cuales examinamos anteriormente, pero esto es más general. ¿A qué ramo pertenece su producto? La respuesta breve puede llevarlo a la descripción de su antiguo departamento: usted está en el negocio de la capacitación (o compras, ventas o diseño de producto).

Pero esos términos pertenecen más al antiguo mundo de las pequeñas empresas que al nuevo. Usted no es una pequeña empresa de capacitación que algún día crecerá hasta ser una gran empresa. La suya es una compañía que ayuda a otras empresas a transformar a sus empleados con mentalidad de empleos a empleados con mentalidad de proveedores; o un negocio que ayuda a las compañías a desarrollar un nuevo tipo de administradores, que puedan administrar un grupo mixto de trabajadores, en el que algunos sean empleados y algunos no lo sean, personas a quien el administrador nunca vea juntos en un grupo; o una compañía que desarrolló formas de enlazar a trabajadores más rápidamente en nuevos sistemas de Internet; o una empresa que ayude a los supervisores a conocer los beneficios de la diversidad, como en el ejemplo del capítulo 8. La suya es una microempresa con un producto valioso y con los conocimientos para crear extensiones y derivados de ese producto.

A veces, la empresa en la que usted está es una cubierta o una fachada para el negocio encubierto en el que se encuentra. Wal-Mart parece una tienda al menudeo, pero en realidad es el negocio de pasar mercancía en la forma más eficiente, del fabricante al usuario. Nordstrom parece ser un almacén, pero en realidad se dedica a hacer que la gente sienta que se cuida de ellos. En el mismo sentido, las Galletas Mrs. Field's se dedica al negocio de hacer feliz a la gente. La aerolínea Southwest trabaja para hacer olvidar a la gente el problema que es viajar y, por consiguiente, viajar más. Charles Schwab se dedica a evitar la confusión y frustración que es administrar nuestro propio dinero. Boston Market Co. se dedica realmente a hacer menos difícil y frustrante ser una familia en la que trabajan los dos padres, o de padres solteros.

Cada una de estas empresas también vende galletas, boletos de avión, acciones y bonos o alimentos preparados. Ése es un negocio abierto. Pero el negocio encubierto es aquel que impulsa las decisiones importantes y moldea la cultura en la organización. Es también el negocio cubierto el que moldea la comunicación entre la compañía y su mercado. Y es el éxito del negocio encubierto el que determina si la organización prosperará.

En ocasiones una organización hace resaltar sus negocios encubiertos hasta el punto en que se hacen abiertos. Andover Controls, un fabricante de aire acondicionado de Massachusetts, comenzó enfatizando esa categoría de negocios. Vendieron al ramo de la construcción a través de subcontratistas de electricidad, por lo que era difícil en ese negocio formar una fuerte identidad de producto. Con el tiempo, la compañía remedió este problema desplazando su enfoque hacia edificios "inteligentes" (donde el clima está integrado a un sistema de computadora que también se encarga de la seguridad y el mantenimiento) y exaltando su negocio encubierto. Andover Controls ahora dice que se desempeña "en el negocio de la comodidad".

La cadena hotelera Ritz-Carlton está (abiertamente) en el negocio hotelero, pero su negocio encubierto aparece en su lema, que cada empleado lleva en una tarjeta llena de epígrafes, recordatorios y reglamentos. El lema dice: "Donde damas y caballeros dan servicio a damas y caballeros". Encubiertamente están en el negocio de proporcionar un grupo personal cuando viajamos. Los lemas de las organizaciones son por lo general insinuaciones del negocio en el que *realmente* está la organización. Si no es así, si sólo son declaraciones simpáticas sobre el negocio abierto de la organización, no llegan a su objetivo.

Otro indicio para el verdadero negocio en el que está una organización es la descripción que da su gente sobre lo que son y cómo llegaron a ser, y por qué son distintos de otras organizaciones similares. Cada compañía tiene tales "historias", aunque se puede inferir de entrevistas con empleados y una interpretación de las publicaciones de la empresa. Sin embargo, a veces una organización será muy abierta sobre su historia. Tal es el caso con Salon, una editorial de San Francisco de una revista en Internet. David Zweig, presidente de Salon, resumió la historia de la organización de esta manera:

Somos una tribu de periodistas que se salió del rebaño. [Pensamos que] hay una enorme falta de calidad en Internet [y que] San Francisco es el epicentro creativo del contenido de Internet, como Hollywood lo fue para las películas. Reunimos a los talentos más brillantes y felices que se vieron atrapados entre la tecnología y la burocracia, quienes les oprimían las fechas límite y las limitaciones de espacio.

Debería pensar en la "historia" de su pequeña empresa. De hecho, posiblemente ya aludió a esta historia en comentarios que hizo sobre lo que hace y por qué lo hace. Pero hacer esta historia más consciente y coherente puede ayudarlo a definir con claridad su verdadero negocio.

Cómo convertir su carrera en una empresa

Aquí, el primer paso es el más grande: comience a pensar en todo lo que hace como si fuera hecho por su microempresa, y no por usted como individuo. Permita que la idea se extienda hacia sus actividades, preguntándose: "¿Cómo podría pensar en esto si *yo* fuese una organización y no un individuo?" Comience a diferenciar las diversas funciones organizativas que necesita realizar su microempresa. Juegue con la idea de "desempeñar varios puestos", como una forma de pensar en ellos:

- El puesto mercadotécnico.
- El puesto de desarrollo del producto.
- El puesto de operaciones.
- El puesto de servicio al cliente.
- El puesto de ventas.
- El puesto de administración de la información.
- El puesto de administración del tiempo.
- El puesto de planificación.

Su microempresa no puede darse el lujo de jugar como una gran compañía y contratar especialistas para cada una de estas funciones. En vez de ello, debe combinar sus propios esfuerzos con los especialistas externos que puedan ayudarle como consultores, eventuales, contratistas, coinversionistas o proveedores. Al pasar sus actos y pensamientos de la perspectiva del empleado al marco mental del proveedor, necesitará repasar su lista de puestos una y otra vez. Usted tomará una decisión mercadotécnica, por ejemplo, que tenga implicaciones para la administración de la información y la decisión que tome en ese aspecto abrirá posibilidades de servicio al cliente, que a su vez cambiará la dirección de sus actividades de desarrollo del producto; cada uno de estos cambios redefine las cuestiones y posibilidades de sus operaciones cotidianas. Así, no lea demasiado en la secuencia o segmentación de los siguientes comentarios. Hice una lista separada de cada uno de ellos, porque el presente libro es analítico y está en secuencia.

El puesto mercadotécnico

Como comentamos en el capítulo 7, el movimiento del trabajo, alejándose de los empleos, convirtió a todos en un técnico del mercado. En lugar de trabajar por un empleado, estamos trabajando con uno o más clientes. En vez de cumplir con nuestro trabajo, ayudamos a los clientes a lograr todo lo que traten de conseguir. Y en lugar de hacer todo lo que requieren las descripciones de nuestro empleo, esperando que nuestra actividad cumpla con las necesidades de nuestra organización, debemos estudiar los mercados disponibles para nosotros en busca de clientes que necesiten servicios como los nuestros y podamos venderles algún producto. Estas necesidades delegan responsabilidades sobre nosotros que nunca tuvimos cuando "teníamos un empleo".

Cuando era maestro de literatura en la universidad (de 1961 a 1974), llegué siempre a mi salón de clases cada septiembre y estaba lleno de estudiantes. Lo que yo les decía estaba más o menos guiado por la descripción del curso que aparecía en sus catálogos. En mi caso, algo relacionado con la literatura estadounidense o el curso de inglés I.

Nunca se me ocurrió preocuparme de cómo los estudiantes llegaron ahí, o si en algún momento llegarían. En realidad sabía algo acerca de cómo llegaron a la universidad, puesto que mi primer empleo universitario fue en el departamento de admisiones. Pero, habiendo abandonado ese empleo, dejé tras de mí cualquier preocupación por la cuestión de ganarme la vida. Y tampoco pensé mucho en lo que los estudiantes buscaban cuando llegaban a mi clase. Describía cuidadosamente de qué trataba la clase y qué se necesitaba hacer para que no tuviera que enfrentarme a expectativas infundadas. Luego de cumplir con esa parte obligatoria de la descripción del producto ("un curso sobre literatura estadounidense, desde la fundación de la colonias a la Guerra Civil..."), comenzaba a trabajar.

Cuando dejé el magisterio e inicié mi negocio de aprendizaje y superación personal (aunque nunca lo llamé así), era sorprendentemente ingenuo. Nunca pensé en la mercadotecnia que debía realizar. Sólo imaginé que si tenía una descripción del programa lo suficientemente interesante (una contraparte de mis anteriores descripciones del curso), el salón se llenaría al igual que cuando fui maestro.

Y bien, no fue así. Pensé que lo que necesitaba hacer era publicar mis seminarios, cuando en realidad debía conocer mi mercado y, específicamente, por qué los adultos querían pagar por algo que les ayudaría a lidiar con los cambios en sus vidas y carreras. Tuve que aprender sus necesidades insatisfechas, particularmente las que aún no sabía cómo describir. Recuerde que dijimos en el capítulo 8 lo difícil que es educar a su mercado. Yo mismo terminé haciendo eso, pero retrasó mi éxito durante largos y preciosos meses.

Desde esos inocentes días en los años setenta, cambié varias veces mi producto y mi cartera de clientes, y cada vez aprendí un poco más de mercadotecnia. Al principio, tenía una mezcla de ventas, por lo que hablaba a los clientes del producto, cuando lo que debía hacer era escuchar lo que me decían de sus necesidades. Ni siquiera hacía de forma efectiva las ventas, concentrándome de manera muy magisterial en por qué deberían aceptar lo que les ofrecía, en lugar de cómo les beneficiaría en algún modo que representara un valor.

Desde entonces también aprendí a distinguir entre clientes y usuarios. Al principio era fácil, porque los dos grupos eran lo mismo: el *usuario* (quien será el usuario y beneficiario final de lo que ofrecía) y el *cliente* (quien paga por el producto e impone las condiciones de su envío) eran la misma persona. Pero al seguir trabajando con clientes de organizaciones se desató el nudo usuario-cliente. La gente que me pagaba no era la misma persona que asistía a mis seminarios. A veces yo mismo no sabía a quién estaba prestando mis servicios.

Como ocurre con frecuencia, hay una respuesta breve y una larga al dilema de tener clientes que no son lo mismo que nuestros usuarios. La respuesta breve es: "Nunca prometas al cliente que lograrás algo que el usuario no acepta". La respuesta larga se inicia cuando los usuarios pocas veces nos pagan directamente, quizá no tengan con qué hacerlo y quizá ni siquiera sepan que existimos. Así, se necesitará comercializar el producto a los clientes en términos de su éxito para dar servicio a los usuarios.

Quien paga al músico es el que obtiene la tonada, pero nadie baila (o marcha, dependiendo del producto) a este son, y el pagador no quedó bien servido y posiblemente renuncie. Así, tanto el cliente como el usuario son importantes, pues no existe una solución simple. Usted generalmente estará en el negocio de ayudar a los clientes a lograr lo que desean ante sus usuarios. Pero a veces descubrirá que no puede conservar su integridad, a menos que dé servicios al usuario de la forma en que el cliente quiere hacerlo.

A veces me he topado con este problema cuando daba consultoría a un cliente sobre algún cambio que trataba de producir en una organización. Mientras más me involucraba en la situación, más me daba cuenta que el cambio haría más difícil la vida para los demás. "Sólo enséñeme cómo hacer que la gente siga con esto", me decía el cliente. Pero yo no podía hacer lo que el cliente realmente quería (es decir, hacer que la gente cambiara). Debía descubrir cómo instrumentar el cambio de manera que beneficiara a los demás, darle servicios. Si pudiera hacerlo, serviría al cliente. Pero a veces el cliente era incapaz de apreciarlo y yo debía trabajar sin obstáculos.

Dar un buen servicio a los clientes es difícil y reducirlo a una regla es aún más. Pero tras todas estas paradojas hay una verdad muy simple: necesita proporcionar lo que el mercado busca y, si no, es buscar lo que usted suministra, entonces sólo tendrá tres alternativas: educar a sus clientes (o usuarios), buscar un nuevo mercado o desarrollar un producto que satisfaga las necesidades de sus clientes.

Hoy veo en la mayoría de los trabajadores deslaborizados mis antiguos malentendidos y malos hábitos. Aunque sigan trabajando como empleados o hayan dejado a su organización y ahora sean independientes, la gente sigue imaginando que si "hacen un buen trabajo", su microempresa funcionará sin problemas. Es una variación del tema: "Si hace bien su empleo, ellos vendrán". Y bien, no cuente con eso.

Quizá sería bueno releer el capítulo 7, "Busque su oportunidad". Tal vez necesite ayuda en esta cuestión, pero en este capítulo volveremos a abordar el tema. Por lo pronto, reconozca que tendrá que desempeñar el puesto mercadotécnico durante mucho tiempo. Si la posibilidad de hacer este tipo de mercadotecnia, así como entregar su producto (y no "cumplir con su empleo") lo intimida, entonces póngase en el puesto del administrador del tiempo (véase la página 193).

El puesto de desarrollo del producto

El capítulo 8 trató sobre "crear su producto", por lo que si desea una versión breve del tema deberá volver a esa cuestión (y quizá releer el capítulo) con regularidad. Pero hay muchas cosas más en este tema. En primer lugar, los productos tienen un ciclo de vida natural. Quizá sigan haciendo lo que deberían hacer, pero toda una nueva generación de competidores hizo su aparición. Junto a sus ofertas, su producto parece noticias de ayer y el último modelo del año pasado.

Y no sólo será opacado por un competidor o por el cambiante mercado. Sus DATA y su interfase con las necesidades del mercado pueden sugerir muchos productos, o un producto sugiere otra versión de lo mismo, o "extensiones de producto", como los llaman en los negocios; o su producto es muy cíclico, tiene mucha demanda y de pronto muy poca, y entonces desearía diversificarse en algunos productos que compensaran la poca demanda del otro. De una forma u otra, ese producto original y que todos esperamos que sea bueno, quizá no sea aquello que le permita jubilarse.

Usted puede aprender mucho sobre el desarrollo de productos leyendo cómo lo hacen las grandes empresas. Busque artículos de 3M y Hewlett-Packard, especialmente, porque son excelentes en esto. Y también aprenda de los fracasos, como cuando una empresa está segura de que el mercado pide algo nuevo (¿recuerda la nueva Coca Cola?), o cuando una empresa se diversifica tanto que pierde su identidad a los ojos del cliente (¿sabe usted qué hace la empresa Primerica?). Note cómo algunos productos no tienen un mercado, sino hasta que existan realmente, porque la gente no los comprende como conceptos: el "ratón" de la computadora es uno de estos ejemplos.

Sin importar cómo lo maneje, el desarrollo del producto será una parte continua de su pequeña empresa. Por una parte, el desarrollo del producto es un subconjunto de la mercadotecnia, pues en tanto que hable con sus clientes y (cuando sea posible) con sus usuarios, deberá mantener abiertos los ojos y muy atentos los oídos para necesidades emergentes y quizá no muy bien definidas. No lo dije en el capítulo 8, pero crear un producto es una labor abierta. Los cambios crean nuevas necesidades insatisfechas; otros proveedores satisfacen a sus clientes mejor que usted; usted mismo cambia en sus deseos y recursos, cuando menos, y ciertamente en la manera de comprender lo que es el desplazamiento de empleos y cómo lidiar con ello. Así, el desarrollo de productos no puede parar.

El puesto de operaciones

Uno de mis primeros clientes grandes fue un fabricante y mi principal usuario fue su grupo ejecutivo. Alrededor de la mesa se sentaban grandes ejecutivos de los departamentos de diseño, mercadotecnia, ventas, pruebas, recursos humanos y producción. Con ellos se sentaba el vicepresidente de operaciones, corpulento, ceñudo, de movimientos lentos. El resto del grupo lo trataba en la forma en que una familia se dirige al primo que era decididamente lento, pero que había heredado todo el dinero. No podían hacer nada sin este tipo. Todos los productos de la compañía provenían de él, sin él no había utilidades. No era ágil, pero era esencial.

Y bien, quizá así ocurra con su pequeña empresa. Esas labores cotidianas, responder las llamadas, reparar la copiadora, enviar la correspondencia a tiempo, registrar las facturas, encargarse de los balances de la tarjeta de crédito, no son labores que puedan llamarse sexis o siquiera interesantes para la mayoría, pero si no se hacen bien, la comida se quema. El puesto de operaciones no es glamoroso, aunque para personas de ciertos temperamentos involucra la satisfactoria actividad de dar forma a las cosas. Pero sea cual sea su temperamento, son operaciones tan importantes que necesitan estar en su lista de pendientes diarios.

El puesto de servicio al cliente

¿Cómo le va con el cliente? ¿Su producto ayuda al usuario del cliente? ¿Cómo lo sabe?

¿Usted verifica regularmente con sus clientes y usuarios sobre cómo les está yendo? ¿Tiene una forma fácil y efectiva de descubrir cómo le va a usted? ¿Agradece a sus clientes por decirle cómo les está yendo? ¿Realiza los cambios rápidos y pequeños en lo que hace y que demuestran más poderosamente que las palabras que se preocupa por lo que sus clientes piensan? ¿Tiene una documentación del producto y materiales de instrucción para el cliente para aumentar el valor de lo que la gente recibe de usted?

Éstas son las cuestiones importantes cuando usted se desempeña en el puesto de servicio al cliente. Cuando yo era maestro, me sorprendía del poco interés que mostraban mis colegas maestros en saber si sus servicios eran efectivos, o en cómo mejorar lo que hacían. Luego admití que yo mismo no me tomaba muy bien la realimentación negativa, achacándolo a la falta de interés y actitudes de mis alumnos, con la misma frecuencia con la que yo culpaba a lo que había o no hecho. Pero... *cumplía* con mis horas de oficina, durante las cuales realizábamos alguna clase impartida o un examen hecho para asegurarnos de que el estudiante entendiera lo que se esperaba y cómo obtener mejores resultados a la próxima vez. No era un "servicio al cliente" muy sofisticado, pero era mejor que nada.

Desde luego, yo no competía con los demás maestros, porque ya tenía mi plaza y trabajaba mucho. Pero nunca se me ocurrió que la universidad pudiera subcontratar un curso al siguiente semestre, o traer a un profesor eventual para dar clases. Desde luego, éramos evaluados. Generalmente se hace así con quienes tienen un empleo. Pero lo importante en la evaluación eran otras y diferentes cosas (las investigaciones que publiqué, los comités en los que fungí, las inscripciones en mis cursos, las conferencias públicas que daba), y no en cómo servía al cliente. El "servicio al cliente" no es un concepto educativo, por lo que su ausencia nunca amenazó mi empleo. Bien, la falta de servicio al cliente ciertamente amenazaría a su microempresa.

Sin importar qué haga y qué tan seguro parezca su puesto, está en competencia directa con más personas de las que imagina. Añada esto al hecho de que los clientes aprendieron en las últimas dos décadas cómo exigir buen servicio y acudir a otra parte si no lo obtienen, lo cual logra una situación en la que debe asegurar a los clientes y usuarios que no sólo reciban un buen servicio, sino que también sientan que es un excelente servicio la forma en que son tratados.

Puestos de ventas

Todos estos puestos eran empleos en el antiguo mundo de las compañías integradas. Las ventas eran el empleo de vendedores. Era un empleo en el que se requería convencer a un cliente para que comprara. Ése era un proceso esencialmente de adversarios, porque el cliente no quería comprar. Eso se daba como un hecho. El empleo del vendedor era acabar con esa resistencia y cerrar el trato.

Las ventas eran tanto una función como una habilidad. Si se tenía la habilidad, se podía vender todo, porque "sabía como vender". El vendedor (generalmente eran hombres) tenía este guión que afirmaban que siempre funcionaba. Si no se veía a usted mismo haciendo esas cosas tontas y diciendo chistes gastados, posiblemente el departamento de ventas no era su lugar. Esa actitud no está aún muerta, pero ya no funciona bien en el mundo deslaborizado, además de que las recompensas de las buenas ventas ya no son para quienes ven a las ventas de ese modo.

En un mundo deslaborizado las ventas son una derivación de la mercadotecnia. Se requiere comprender exactamente cuáles son las necesidades insatisfechas del cliente y cómo nuestro producto puede satisfacerlo. Esta venta es colaborativa; una venta que no satisface una necesidad real es una venta que no vale la pena hacer. Cada venta que satisface esta necesidad, deja al cliente altamente satisfecho, que es todo el propósito del negocio. Los clientes satisfechos regresan.

Éste no es un texto sobre ventas, por lo que aquí no se explica cómo hacerlo. En vez de ello, deseo poner las ventas en el presente contexto como aquello que ayuda a los clientes a entender su producto y sus beneficios, y ayudarlos a elegir cómo satisfagan sus necesidades. También quiero recordarle que las ventas realimentan el desarrollo del producto demostrando que el producto no consigue satisfacer la necesidad y también cómo podría ser mejor.

Luego de hablar de la deslaborización frente a muchas personas, descubrí que una de las preocupaciones más comunes de los empleados actuales es que en este nuevo mercado de trabajo (y en el nuevo papel de los trabajadores con sus microempresas), "tendrías que vender todo el tiempo, y yo no sólo soy un vendedor". Aquí hay un par de malentendidos, por lo que sus víctimas están en una gran desventaja.

Primero, la idea misma de *vender* está distorsionada. No es hablar mucho y hacer un gran espectáculo, como imaginamos que son las ventas. Esta venta es hablar de un producto que está alineado con nuestros DATA, por ello creemos en él. Esta venta se basa en una comprensión real y en la simpatía con la necesidad insatisfecha del cliente, por lo que no es volver al mismo cuento de siempre. La idea de que usted no puede hablar de lo que en realidad cree y lo que el cliente simplemente significa, no soporta la prueba de la experiencia. Todos podemos "vender" bajo esas circunstancias.

Segundo, la idea de que vender toma demasiado tiempo y nos distrae en nuestra verdadera tarea de hacer las cosas, pertenece al viejo mundo del empleo. En ese mundo el vender era un empleo de tiempo completo; si se tenía otro empleo de tiempo completo no se podía vender. Pero en el mundo deslaborizado estas funciones se traslapan una con otra. Al entregarse el producto, nos ponemos en alerta ante las cuestiones de servicio al cliente y escuchamos como técnicos de mercado, generando información para el proceso de diseño del producto. Vender es este complejo de actividades cuando se topan con un candidato a cliente; se apoyan mutuamente y ninguna de ellas es nuestro "empleo". Es decir: "He aquí una idea; funcionó bien para uno de mis clientes", es una parte sencilla y natural de la interacción con un cliente. Las ventas no requieren de un talento insólito.

El puesto de administración de la información

Apenas si hay actividades comerciales que no fueron afectadas por la tecnología de la información (TI). Muchas de ellas se transformaron. Los datos accesibles y analizables de clientes y proyectos son tan importantes para el éxito de su pequeña empresa como para una gran empresa. De hecho, una de las características de la revolución de la TI es que puso a las pequeñas empresas (incluyendo a los "negocios" de una sola persona) en una posición sorprendentemente comparable con la de las grandes empresas. La propuesta de la pequeña empresa puede ser tan atractiva, los datos tan convincentes y la facturación tan rápida y precisa como la de las grandes empresas. De hecho, pueden ser aún mejores, puesto que no necesitan ser aprobadas por todos estos empleados que luchan por cuestiones de territorio.

Pero esta potencialidad debe ser entendida por su microempresa para prosperar. Para muchos trabajadores deslaborizados los conocimientos necesarios se obtienen mejor para lograr la tarea con ayuda externa, pero existe una ventaja en pasar un tiempo sin que se pueda pagarlo. Hacer todo usted mismo es el mejor curso que puede tomarse en lo que realmente necesita hacerse. Así, vea los primeros años y cuando cometa errores y haga cosas para las que no tiene talento, como un programa de capacitación especialmente diseñado para usted.

El puesto de administración de la información es el que desempeña cada vez que piensa en lo que sabe de sus clientes y cómo podría aprender más. ¿Mantiene actualizada esa información? ¿Tiene una forma de programar el trabajo que hace para ello? ¿Cómo puede utilizar lo que sabe de ellos para segmentar a sus clientes potenciales en categorías que sean más fáciles de comprender como mercados ligeramente distintos? ¿Cómo puedo organizar esta información en una base de datos que pueda utilizar con más facilidad?

El antiguo archivero, la lista de clientes escrita a mano y las carpetas en el archivero se hicieron obsoletos muy rápidamente. Si la posibilidad de utilizar una computadora para almacenar y organizar esta información lo hace hiperventilarse, será mejor que obtenga alguna capacitación o ayuda. Necesitará la computadora, el programa y los conocimientos para hacer posible toda esta mezcla y clasificación de información.

Sin embargo, como los demás puestos, el administrador de información no es "un empleo" como lo era en la organización antigua. En vez de ello es uno de los círculos traslapados de los que tanto hablamos, círculos que se agrupan alrededor del puesto de la mercadotecnia. La administración de información es tan sólo la forma en la que se administra lo que se sabe del mercado y cómo comunicarse con éste. Si su producto está basado en conocimientos, como es muy probable que sea, la administración de información es también una forma de desarrollar su producto en todas sus variaciones listas para el cliente.

Aprender nociones de administración de la información es como aprender un idioma. Es relativamente difícil si tan sólo es una materia que se estudia, una materia con poca relación con lo que realmente quiere lograr. Pero si está motivado por un deseo real, es distinto. Imagine que acaba de enamorarse locamente con alguien de Japón. Es sorprendente la rapidez con que comenzará a captar frases en japonés, ¿verdad? La moraleja es mantener la vista fija en lo que se quiere lograr y hacer que los proyectos de aprendizaje permanezcan estrechamente relacionados con los objetivos. Cuando "aprende lo que necesita saber" se convierte en "una materia", ocurre lo mismo que cuando "hacer lo que necesita hacerse" se convierte en un "empleo". Baja la motivación, la eficiencia disminuye y ya no es divertido ir a trabajar.

El puesto de administración del tiempo

Me siento extraño escribiendo brevemente de cosas sobre las que otros escriben libros enteros y a las que dedican sus carreras. Mi intención no es darle un minicurso del tema, sino mostrarle cómo es relevante y qué cuestiones necesita usted particularmente aprender si desea tener éxito en las operaciones fuera de los perímetros del empleo tradicional. La administración del tiempo claramente pertenece a la lista de cosas en las que necesitamos ser buenos.

Uno de los beneficios de un empleo es que tiene delimitaciones y un núcleo de responsabilidad. Los límites nos dicen que es el empleo de otro y no el suyo, por lo que no necesita preocuparse por ello. También le dicen cuándo es momento de irse a casa por las noches, aun cuando el reporte no esté terminado. El núcleo de responsabilidades del empleo le da una madeja para hilar sus actividades alrededor de ella y una base sobre la que se pueden calcular prioridades. Cuando deje de estar centrado en el empleo, perderá esos puntos de referencia. Todo se agrupará alrededor suyo, exigiendo su atención. Quizá se vea usted mismo con múltiples proyectos y muchos clientes. Comenzará a darse cuenta que el horario normal era un artefacto del mundo del empleo y que el correo electrónico y el fax le asestaron el golpe de gracia. Todo lo que deba hacer, todo lo que pueda hacer lo espera en la pequeña computadora que tiene en su maletín, por lo que el trabajo siempre va con usted.

¿Puede hacer todo esto? ¡Mala pregunta! ¿Cómo hace las cosas más importantes? Ésa es la pregunta adecuada. ¿Cómo saber cuáles son las cosas importantes, cómo distribuir el día y cómo repartir a otros los pendientes que no pueda hacer uno mismo? Son buenas preguntas.

Como dije antes, mi propósito no es escribir otro tratado sobre la administración del tiempo, sino simplemente decir que si usted no es bueno para administrar su tiempo, entonces será necesario que mejore. Busque algún libro que le guste en la tienda más cercana, pida a su papelería sugerencias sobre materiales y averigüe en alguna universidad local si hay cursos que puedan ayudarlo. Muchas personas fracasan como trabajadores deslaborizados porque no tienen la habilidad de autoadministración y porque no tienen una buena formación o la experiencia adecuada.

Pero éste no es un nuevo desafío. Cada vez que las condiciones de trabajo cambian de modo significativo, la forma en que la gente trata con el tiempo también cambia. En el mundo preindustrial, el tiempo del reloj apenas existía. Aunque las horas sonaban en la iglesia o en el edificio del ayuntamiento, la mayoría de las personas vivía por las leyes de la luz y la oscuridad, el calor y el frío. Sus labores tenían un ritmo que alternaba entre periodos en los que había una enorme cantidad de cosas que debían hacerse, una cosecha, por ejemplo, y periodos en que poco podía hacerse debido a la oscuridad o el mal clima.

La industrialización emparejó el ritmo en un flujo de actividades, y luego lo puntualizó con campanadas y silbatazos para señalar tiempos de inicio y de término. Los hombres ricos comenzaron a llevar relojes de bolsillo, obtuvieron el poder de hacer que la gente se apurara y preocupara cuando sacaban el reloj, fruncían el ceño y anunciaban que ya eran casi las seis. También los ferrocarriles requerían de zonas de tiempo convencionales.

A la gente el tiempo del reloj les comenzó a parecer una idea ajena y la detestaron. Era mecánico e inhumano. Pero, como muchas otras innovaciones, el tiempo del reloj comenzó como algo a lo que los demás nunca se podrían adaptar y terminó como algo que la gente no podría vivir sin ello. Al desarrollarse en horas fijas, distintos turnos, días de trabajo, fines de semana y otros límites de tiempo que dieron forma a la vida de los demás, el tiempo del reloj se convirtió en familiar e incluso casi amistoso.

Ahora, esto se desató otra vez. El nuevo turno de la noche, dice un artículo reciente sobre trabajo, son las sesiones de trabajo de toda la noche que se espera que ocurran en las empresas modernas al acercarse las fechas de entrega. La gente habla seriamente de si deberían llevar su receptor de mensajes de vacaciones. Los artículos sobre insomnio sugieren que uno no debe acostarse a contar las horas; sería mejor pararse y hacer algo. Los teléfonos celulares se venden como una forma de hacer que sus viajes sean productivos. El tiempo en la bicicleta estacionaria es utilizada para ponerse al corriente con las noticias y el tiempo dedicado al *jogging* se aprovecha para la superación personal mediante libros grabados en audio.

Como en tantas otras cosas, estamos en un periodo de transición en lo que concierne al tiempo. Aún no tenemos los nuevos hábitos que nos ayuden a lidiar automáticamente con estas nuevas condiciones. Tardará un par de generaciones obtenerlas, mientras tanto, necesitaremos recurrir a libros, cursos y entrenadores, además de agendas encuadernadas en piel para ayudarnos.

El puesto de la planificación

Las compañías tienen departamentos de planificación, lo que significa que convirtieron la planificación en un empleo. También significa que la planificación ya no es el producto natural de la mercadotecnia y el desarrollo de productos, y también se convierte en aquello para lo que nunca queda suficiente tiempo en el día. En su pequeña empresa la planificación debe ser un asunto cotidiano en el que se pregunte: "¿Qué haré con lo que necesito hacer, y a dónde necesito ir?" Y también, ocasionalmente: "¿Cuál es el lugar a dónde realmente quiero ir?"

Necesita primero hacer un plan para lanzar su microempresa (en el siguiente capítulo veremos cómo hacer esto). Lo que queremos cubrir aquí es el proceso continuo de planificación y las cuestiones que surgirán al hacerlo. Esto no es Planificar con mayúscula, lo cual usted hará al escribir un plan estratégico para persuadir a un banquero para que le preste dinero y empezar. Las posibilidades son que si su microempresa necesita dinero para iniciar, más allá de los gastos necesarios para vivir durante algunos meses, y adquirir su equipo básico, entonces esto se volcará contra usted y comenzará una anticuada pequeña empresa, no *Usted, S.A.*

La planificación que necesita producirá las listas de pendientes, pero no "documentos de planificación" forrados con plástico. Éstos son para usted y no para su banquero. Le dice hacia dónde ir y cómo llegar; no está destinado para persuadir a alguien a que le dé dinero. Está destinado a darle los recursos que necesita y el camino que usted pretende seguir. Debido a que el cambio ocupa un lugar prioritario en este mundo deslaborizado, le da un plan B si las circunstancias hacen que el plan A falle completamente. He aquí algunas de las cuestiones que usted querrá cubrir en su planificación. Dichas cuestiones deberá formulárselas cada vez que considere tomar una nueva dirección o hacer algo nuevo, así como cada vez que inspeccione el territorio que aún lo espera. Son preguntas que nunca se responden de una vez por todas, tampoco conducen a un conjuro mágico que sea completo y que sólo necesite ser llevado. Son más bien como las listas de pendientes que le aseguran que no olvide almorzar, o ponerse bronceador solar. He aquí esas cuestiones:

Habilidades y conocimientos

¿Cuáles son las habilidades o conocimientos que necesita para hacer funcionar efectivamente su microempresa? ¿Y qué necesita para llenar los huecos en sus recursos? Si aún sigue trabajando para alguna organización, la capacitación podrá estar muy cerca, pero aun así tendrá que hacer arreglos para ello y pasar algún tiempo para obtenerlo. Supongo que necesitará otro puesto para *Usted, S.A.*: el puesto de capacitador.

Beneficios

Maldita sea. ¡Otro puesto! Son los trabajadores difíciles de encontrar los que pueden estar seguros de que la jubilación ya está asegurada y que tendrán el dinero para pagar por los servicios de salud que necesiten. Y todos reconocen que "los trabajadores de hoy tendrán que ser más responsables" para estas cosas, pero nadie lo relaciona con el hecho de que el que produce estos beneficios, es decir, el empleo, está desapareciendo del escenario. Es inútil señalar que quiero que vaya más allá de "tener más responsabilidad" sobre su seguridad económica, necesita ser parte de la planificación a largo plazo de su pequeña empresa.

Espacio y equipo

¿Dónde trabajará? El empleo le dio una respuesta rápida y fácil a esa pregunta, pero las fuerzas deslaborizadoras lo obligan a dar su propia respuesta. Aun si tiene un cubículo o un puesto en una fábrica, también necesita el espacio y equipo para trabajar en casa, quizá necesita el equipo para trabajar dondequiera que esté: en un hotel, con un cliente o cuando viaja.

Tarjetas y folletos

Si se sale completamente del mundo del empleo, estos utensilios serán importantes para comunicar quién es usted y qué hace. Si permanece en el mundo del empleo, pero fusiona su microempresa como operación encubierta, estas cosas seguirán siendo importantes. ¿Cómo lo describe su tarjeta comercial? (pues bien, entonces que sea su tarjeta *imaginaria*). Diseñe un folleto para *Usted, S.A.*, aun si nunca le da un ejemplar real a un cliente, puede ser una forma maravillosa de enfocar su conciencia en lo que es su producto, y por qué el cliente debería pagar por aquél.

Tiempo

Ya hablamos de la planificación del tiempo, pero éste es un recordatorio que el tiempo es un recurso que necesitará poner de lado para lanzar *Usted, S.A.* Puede ser el tiempo que pase en un curso o armando un "folleto". Puede ser el tiempo que pase en juntas de profesionistas en las que pueda afianzar su red, o puede ser el tiempo que pase leyendo un libro.

Dinero

Como ya dije antes, la mayoría de las nuevas pequeñas empresas no necesitan de préstamos y líneas de crédito que requerían las pequeñas empresas de antaño; pero si sale del mundo del empleo, incluso así necesita gastos para vivir. Y si decide que necesita un fax para su negocio, también tendrá esa clase de costos iniciales. Quizá sean tiempos difíciles, como cuando mis únicos tres clientes decidieron terminar nuestros proyectos al mismo tiempo. Pero las grandes inversiones y préstamos para pagar nóminas no es en lo que consiste *Usted, S.A.* Y si sus gastos comienzan a excederse, entonces regrese al principio.

Estructura

Parece cómico hablar de la "estructura" de su pequeña empresa, porque se trata más bien de usted y de todos esos puestos. Pero recuerde que es parte de una red económica y que hasta la empresa más pequeña (especialmente una microcompañía) necesita subcontratar mucho de lo que hace. He aquí algunos apoyos estructurales que deben considerarse.

- Servicios de proveedores y soporte. Al igual que las compañías automotrices que subcontratan la fabricación de más de la mitad de las piezas de los automóviles, usted necesitará encontrar algunos buenos proveedores de los productos y servicios que necesitará regularmente. Aunque es bueno hacer compras, su objetivo es obtener proveedores conocidos y educarlos sobre sus necesidades y capacidades, para que pueda contar con ellos como si fueran colegas en la oficina.
- Coinversionistas. Debido a que la suya es una empresa pequeña y se enfoca en sus productos particulares, tiene sentido abordar proyectos más grandes en compañía de otros, e incluso agruparse informalmente. También tiene sentido encontrar otras empresas que se especialicen en ayudarlo en lo que hace individualmente. Estas empresas están surgiendo en respuesta a la

dispersión actual, como Venture Initiatives, empresa que comercializa y distribuye productos basados en el trabajo de inversionistas independientes.

- Consultores. La gente hace chistes de los consultores, considerándolos personas que están entre empleos, pero en la realidad es que una enorme cantidad de trabajo que antes se hacía y asesorías que daban los expertos residentes de tiempo completo, pueden hacerse y darse más efectivamente a través de personas que cumplen con el proyecto y luego se van. Las personas que simplemente se aferran al papel de consultor, en tanto que esperan una oferta de trabajo, son mucho menos significativas que las que ven lo que está escrito en las paredes y convierten sus DATA en una empresa consultora. Su mercado es creado por las mismas fuerzas que los hicieron independientes.

- Entrenadores. En tanto que los consultores existen desde hace mucho tiempo, no así los "entrenadores", pues nada señala tan claramente el inicio de la era del trabajo independiente que la aparición del entrenador, una persona que funciona como asesor para trabajadores independientes que tratan de afinar las habilidades que necesitan para su microempresa, incluso existe una universidad de entrenadores que realiza entrenamiento en línea desde su base en Salt Lake City. Sus inscripciones se triplicaron durante el año pasado y ahora hay 350 alumnos.

- "Junta Directiva para *Usted, S.A.*" El elemento estructural final que debería considerar es una "junta directiva" informal para su pequeña empresa. Aquí el consejo es colectivo y lo ofrecen voluntariamente las personas que disfrutan de la experiencia de conocerse unos a otros y trabajar juntos en un proyecto.

Finalmente, nuestras opciones de carrera

Repetir que el consejo de este libro lo ayudará a lidiar con las fuerzas de la deslaborización, con su empleo actual o iniciar uno propio, simplifica considerablemente las opciones que tiene ante usted. He aquí los distintos escenarios en los que podría poner en marcha su pequeña empresa:

1. Busque las necesidades insatisfechas que necesitan cubrirse en el mercado público o en su comunidad y funde una pequeña empresa real para hacerlo. La mayoría de las ideas de *Usted, S.A.* serán útiles, aun si la pequeña empresa crece y, si lo permite la suerte, se convierte en una gran empresa. Aquí está siguiendo la clásica ruta empresarial.

2. Busque las necesidades insatisfechas y el trabajo que necesita realizarse en su industria o profesión, e inicie una pequeña empresa real para hacerlo. Se podrían aplicar las mismas esperanzas y seguirá la misma ruta. Recuerde que no debe permitir que su empresa creciente cobre una orientación hacia los empleos.

3. Busque las necesidades insatisfechas de la organización que actualmente le da empleo (o la anterior), e inicie su compañía para satisfacerlas. Siga el mismo consejo del inciso anterior.

4. Busque las necesidades insatisfechas de su organización empleadora actual y trabaje como consultor o contratista, que aprecien su experiencia y contactos con su empresa como recursos que lo harán lo suficientemente valioso para ser contratado. Asegúrese de que no está cambiando un empleo por otro, aun cuando sea mejor. Asegúrese de que el nuevo escenario lo ayudará a evitar algunas de las trampas del mundo del empleo.

5. Busque algunas de las necesidades insatisfechas de su organización empleadora actual y propóngale que dejará su empleo actual y lo tomará como proyecto especial. Aquí, su microempresa funcionaría como una pequeña consultoría o contratista. Esto le daría la flexibilidad del nuevo orden sin renunciar a la seguridad del viejo orden. *Podría.* Con el tiempo, es más probable que usted y la compañía se separen. Si eso sucede, en la entrevista de salida le dirán que usted no es el leal trabajador de antes. Lo que no se molestará en reconocer es que realmente duró más que muchos otros trabajadores "leales" que fueron recortados anteriormente.

6. Busque las necesidades insatisfechas de su organización actual y busque otro empleo en el que mejore su posición para satisfacer esas necesidades y formar una seguridad siendo valioso para la organización. Esta táctica involucra verter el nuevo vino (*Usted, S.A.*) en una vieja botella (un empleo). En una compañía de vanguardia podría ser una buena opción; de otro modo, probablemente es una solución temporal, aun así, sería una buena opción hacer el intento mientras que se planea el siguiente paso.

7. Reorganice su empleo actual para que sea más acorde con las realidades de un lugar de trabajo que se deslaboriza rápidamente. Póngase a la vanguardia de estos cambios. Aquí comento lo mismo que antes, agregando que su empleo actual no es como el que obtendría cuando se reoriente hacia las necesidades insatisfechas elegidas específicamente para esa calidad.

8. Espere, no haga contacto visual con nadie, espere que toda esta "deslaborización" desaparezca. ¿Qué podemos decir? Espero que esté muy cerca de su jubilación, porque la expectativa de vida a esta solución es muy, muy corta.

En el siguiente capítulo revisaremos los planes personales, que es cuando surge la aplicación real de estas ideas. Por lo pronto, lo mejor que podemos hacer es revisar los principales puntos cubiertos en este capítulo y observar cómo coinciden mejor con su propia situación, recursos y posibilidades de productos.

Las cualidades de Usted, S.A.

Primer paso

Describa una forma en la que, en sus actividades cotidianas, opera actualmente como si las decisiones que tomara se basaran en crear una pequeña empresa de una sola persona, y no sólo hacer (o buscar) un empleo. Luego busque otras formas de incorporar a la mentalidad de su microempresa en su trabajo cotidiano.

_____

_____

_____

_____

Segundo paso

Especifique en qué ramo está su pequeña compañía. Recuerde que éste no será el ramo en el que estará su empleador. Se trata de un negocio suyo.

_____

Tercer paso

Distinga entre el negocio abierto de *Usted, S.A.*, su categoría convencional de negocios y el negocio encubierto o real que cumple para su cliente.

Abierto   Encubierto

_____   _____

Cuarto paso

Escriba un lema que capture la esencia del verdadero negocio que usted hace funcionar.

_____

Quinto paso

Describa la "historia" de su microempresa, un recuento de lo que usted es y hace, cómo llegó a hacerlo y por qué las versiones de "esto" es lo que realmente necesita el cliente.

_____

_____

_____

Sexto paso

En una escala del 1 al 10 (10 es lo mejor) califique el desempeño en cada uno de estos puestos:

1. El puesto mercadotécnico_____
2. El puesto de desarrollo del producto_____
3. El puesto de operaciones_____
4. El puesto de servicio al cliente_____
5. El puesto de ventas_____
6. El puesto de administración de información_____
7. El puesto de administración de tiempo_____
8. El puesto de planificación_____

En la misma escala del 1 al 10, califique a su pequeña empresa en la calidad de los siguientes recursos con los que cuenta:

9. Habilidades y conocimientos_____
10. Programa de prestaciones_____
11. Espacio y equipo_____
12. Tarjetas y folletos_____
13. Tiempo y programación_____
14. Estructura y ayuda_____
15. Proveedores y servicios_____
16. Coinversionistas_____
17. Consultores_____
18. Entrenadores_____
19. "Junta directiva"_____

Séptimo paso

Sume las puntuaciones que se asignó usted mismo en las 19 preguntas anteriores. ¿Cómo le fue? No se desaliente si su total fue de 30, 40 o 50. ¿Por qué no sería así, después de tantos años de obligarlo a sólo cumplir con su empleo?

Utilice sus puntuaciones para identificar dónde debería trabajar para mejorar las posibilidades de su empresa, recuerde que siete de diez es apenas aceptable en las calificaciones. Para ubicarse en la posición de capitalizar la deslaborización, necesita tener una calificación de entre 8 y 9. Los mejores, desde luego, tendrán calificaciones más elevadas.

Una baja calificación es sólo la alarma del reloj. ¡Es hora de despertar! El siguiente capítulo lo ayudará a dejar de evaluar y comenzar a actuar.

10. Haga planes y comience

*Desde hace mucho tiempo
me llamó la atención que
las personas logradas rara vez
permitían que las cosas les sucedieran.
Ellos salían y les sucedían a las* cosas.

ELINOR SMITH

Todos deben remar con los remos que tienen.

PROVERBIO INGLÉS

Planes de negocios

La mayoría de los planes de negocios son inútiles para la tarea que le espera, porque son en realidad explicaciones para que alguien le preste dinero. Necesita un plan que le ayude a concentrar sus energías y asegurarse que cada cosa que haga en realidad está haciendo avanzar el desarrollo de *Usted, S.A.* Así, lo que sigue es una descripción de los pasos o etapas de esta misión.

Léalos reflexivamente y luego déjelos a un lado durante algunos días. Cuando los vuelva a leer, vaya al punto de la progresión en donde piense que esté. Lea ese paso un par de veces; luego ponga el libro a un lado y utilice lo que leyó como trampolín para pensar por cuenta propia. Si puede leer esto con alguien más y discutirlo, mucho mejor. Si no puede involucrar a alguien más, saque una hoja de papel y escriba lo que piense.

Si hace lo anterior, escriba rápidamente y sin pensarlo mucho: la forma en que lo diría verbalmente. No se preocupe si añade ideas

205

que le vienen a la mente al escribirlo, o si la secuencia de ideas no es muy clara. No se preocupe si no está traduciendo bien sus ideas coherentemente. Sólo siga escribiendo. El propósito es captar las posibilidades que le rondan por la mente. Después podrá seleccionar, refinar y pulir. Por lo pronto, lea..., piense... y escriba o hable.

Comience en el punto en donde esté en la secuencia de desarrollo. Vuelva ocasionalmente para recoger cabos sueltos en pasos no tan completos (o será mejor que pruebe otra vez).

Tómese tiempo para planificar, investigar y actuar en un paso antes de que trate en forma seria el siguiente. Esto no es algo que deba leer y luego dejarlo de lado al terminarlo. El capítulo final es breve, pero debería tomarle mucho más que repasar todo el libro.

Es todo. La conferencia previa al viaje terminó. Empaque sus cosas y salga al camino. Descanse cuando se sienta cansado, pero luego tome sus cosas y siga andando. Y recuerde por qué está en este camino: porque los caminos antiguos están desapareciendo en la tormenta vocacional del siglo. Usted se dirige a buenos terrenos económicos. Hay muchos otros que ya están allí y le mostrarán qué ocurre cuando llegue. Buen viaje. Quizá nuestros caminos se crucen. Así lo espero.

Etapa uno

Decida en qué negocio está. Si no está listo para hacerlo, vuelva a leer los capítulos 3 y 6 acerca de sus recursos o áreas de experiencia, y el 7, sobre sus mercados, para comprender mejor su producto. Eso debe ayudar a que su empresa quede mejor enfocada. Por cierto, me olvidé preguntarle: si su empresa tuviera un nombre, ¿cuál sería? Vea, ése es el negocio en el que está. Repita siempre: estoy en el negocio de... estoy en el negocio de... estoy en el negocio de ... Le ayudará en todos esos caminos que no aparecen en el mapa y con los que seguramente se topará.

Etapa dos

¿Cuál es su producto? Sí, sé que ya respondí eso en la etapa uno como forma de enfocarlo hacia su negocio. Pero no lo respondió realmente. ¿Qué, exactamente, es lo que está vendiendo?

- ¿Es realmente una reflexión de lo que Desea en este momento de su vida?
- ¿Realmente aprovecha al máximo sus Aptitudes?
- ¿Realmente coincide y se beneficia de su Temperamento?
- ¿Realmente aprovecha todas sus áreas de Experiencia o Recursos?
- ¿Realmente responde a alguna necesidad no satisfecha en el mercado que eligió servir?

Si no está seguro de ninguna de estas cuestiones, los capítulos 3 a 7 le serán útiles, y el 8 trata de cómo integrar los DATA y las necesidades del mercado en un producto. Cualquiera de estas cuestiones en algún momento necesitarán más trabajo. Coméntelas con alguien en quien confíe. Busque ayuda externa, con un asesor ocasional o psicológico, si no puede interpretar sus propias respuestas. Pero mantenga intacto su propio punto de vista independiente, porque es muy probable que esté en el ramo de "ayuda a la gente para encontrar empleo". Haga lo necesario para comprender sus DATA y sus posibilidades de mercado. Y luego confórmelos en un producto.

Etapa tres

¿Quién es su cliente? Nuevamente, sé que ya respondió esto. Pero esta vez lo responderemos con más detalle. ¿Quién es este cliente y qué necesita? Para comprender la necesidad, considere al usuario del cliente. ¿Qué necesita satisfacer el cliente en el usuario? ¿Qué es lo que está buscando el usuario y cómo podría ayudar el cliente a satisfacer al usuario en forma más completa? ¿Necesita más información para responder a estas preguntas? Salga y obténgalas. ¿Necesita consejo o ayuda? Haga lo mismo.

Etapa cuatro

Todo está muy bien, pero si el cliente no puede ver la necesidad o no puede imaginarlo como la solución, entonces son sólo palabras. ¿Puede convencer a un cliente que acuda a usted para satisfacer su necesidad? ¿De qué forma lo que usted ofrece resolverá el problema o explotará la posibilidad? ¿En qué sentido es mejor que otras formas de hacer estas cosas? ¿Por qué el cliente debería escucharlo? ¿Cuál es su historia, si en esas estamos? ¿Qué recursos necesita para que su caso sea creíble?

Etapa cinco

¿Y qué necesita para convertir su negocio en la microempresa a la que acudan los clientes cuando tengan necesidades, mismas que usted intenta satisfacer? En un principio, sólo tratará de devolver la bolita, pero conforme pasa el tiempo se verá usted mismo desarrollando aún más su organización. Recuerde los puestos.

- El puesto mercadotécnico.
- El puesto de desarrollo del producto.
- El puesto de operaciones.
- El puesto de servicio al cliente.
- El puesto de ventas.
- El puesto de administración y formación.
- El puesto de administración del tiempo.
- El puesto de planificación.

Me convertiré en malabarista para mantenerlos a todos en el aire, pero ser malabarista se hace más fácil con la práctica. Trate sus fracasos como lecciones y siga avanzando.

Etapa seis

Lo espera todo un espectro de posibilidades, desde intentar cambiar su empleo hasta comenzar como empresario. Pero ésas son sólo diferencias externas: grandes diferencias, en realidad, pero sólo externas. Hacia adentro, comparten un marco mental. *Usted no es mano de obra de nadie. Usted es una empresa independiente, una empresa con clientes.* Muy bien. ¿Qué clase de desarrollo de negocios necesita?

Etapa siete

Aunque debió ser claro desde que hablamos de lo importante que es respetar su temperamento, seamos explícitos: no existe un solo camino para el objetivo que busca. Cuando British Telecom hizo un estudio sobre la persona que comenzó sus propias empresas (porque, muy prudentemente, querían alentar esas cualidades en sus empleados), descubrieron no un patrón, sino cuatro:

- Personas que *trabajaban en redes*, que utilizaban sus contactos y amistades para convertirlas en "oportunidades" que luego aprovechaban.
- Otros eran *maestros del pasado*, que eran muy buenos y forman un producto de tal calidad que los clientes lo buscaban.
- Otros más eran *simpáticos*, que se valían de su facilidad de palabra con los clientes y los persuadían de los méritos del argumento y el poder de su estilo.
- Finalmente, otros eran *cazadores*, que sabían todo sobre sus clientes y las estrategias que necesitaban para atraparlos.

¿Son estas habilidades o temperamentos distintos? ¿Se basan en deseos o recursos distintos? La respuesta es *sí, a todo lo anterior*. Pero cualquiera que sea su camino natural, sígalo. Todos los caminos conducen a la cumbre.

Conclusión

Usted aprenderá sobre la marcha, en tanto siga marchando. Soy consciente de la ironía de dar consejos de este proceso, porque si el consejo pudiera seguirse realmente, no sería necesario darlo. Ya estaría presente. Como esos empleos en los que crecimos creyendo que estaban allí, esperándonos a nosotros. Esos empleos continúan donde mismo, pero desaparecerán. Y muchos de los que permanecen se pagan miserablemente o se ofrecen a los trabajadores eventuales.

Pero sigue habiendo trabajo que espera ser realizado, que necesita ser hecho y que aún no está esquematizado como empleo. No hay anuncios para ellos y tampoco hay puestos en la agencia de colocaciones, ni siquiera es una plaza. Es sólo la irritación, preocupación, sospecha, frustración, esperanza, deseo, idea o sueño de alguien. Éstas son las cosas que usted quiere buscar, no empleos. ¿Qué está esperando?

Epílogo

Nunca termino un libro sin sentirme atormentado cuando me percato de todo lo que no dije. Sospecho que el arte de la escritura está formado principalmente de saber cuándo empezar y luego cuándo terminar, y sucumbir a la tentación de no detenerse arruinó muchos libros que, de otro modo, habrían sido buenos.

Pero en este caso me siento atribulado por el hecho de que dirigir este libro a individuos me deja la impresión de que se trata de una cuestión individual. De hecho, la desaparición de los empleos es una enorme preocupación social, quizá la mayor de nuestra época, puesto que dejó tantas personas confundidas y desalentadas cuando piensan en cómo ganarse la vida. Confundidos, desalentados y *enojados*, porque en el fondo de muchos actos incomprensibles de violencia que aparecen en los periódicos hay un sentido no articulado de que *ellos* cambiaron las reglas a mitad del juego.

La única situación viable en las cuestiones generadas por la deslaborización podría involucrar una iniciativa social nueva e integrada mediante cinco partes distintas del orden social.

1. Corporaciones e instituciones que afrontan la labor de transformar a sus trabajadores, de empleados a personas que hagan lo que necesita hacerse. Los departamentos de capacitación de las organizaciones necesitan reorientar sus esfuerzos hacia este fin.
2. Gobiernos a todo nivel que afrontan la doble tarea de desmantelar las viejas políticas y servicios que coinciden en un mundo en donde la gente tenía empleos, pero no coincidían con el mundo deslaborizado; además, creando obras políticas y servicios que coincidan en un mundo donde los empleos ya no son la norma.

3. Asociaciones sindicales y profesionales que con frecuencia ven como su misión la seguridad laboral, pero que ahora deben transformarse por las exigencias de sus propios miembros en organizaciones que proporcionen lo necesario a los trabajadores deslaborizados: educación y capacitación, prestaciones, asesoría sobre carreras autoadministradas y un sentido de comunidad para sustituir a "la compañía".
4. Escuelas y universidades que deben reorientar su oferta a un mundo en el que las personas ya no obtendrán más que las sobras, si ya no tienen capacidades educativas básicas, y donde la gente tendrá que seguir desarrollándose durante sus carreras.
5. Finalmente, nuevas instituciones y servicios, algunas de las cuales serán para ganancias y otras serán asociaciones civiles. Todo el campo de desarrollo de carreras y la búsqueda de trabajo están llenos de necesidades insatisfechas. Puede ser, por ejemplo, que la agencia de empleados eventuales de hoy contenga el germen de una nueva institución social que pudiera sustituir la corporación como mecanismo para carreras y proveedores de beneficios.

Menciono estas partes de nuestra sociedad porque en el texto las ignoré. Quizá las retome en mi siguiente libro. Pero las señalo también porque están tan saturados de necesidades insatisfechas, que muchos lectores deben revisarlas en busca de mercados laborales. Cada vez que hay un enorme cambio social, las oportunidades desaparecen en un lugar y aparecen en otro. Muchas de las oportunidades son creadas dentro del proceso mismo de cambio. No debemos soslayarlas.

Las buenas noticias es que si usted lee este libro ya está por delante de la muchedumbre. Por lo menos durante otra generación, la gente seguirá en la misma búsqueda de empleos. Como la gente que intenta meter la llave en la cerradura, pero no entra y no pueden entender qué es lo que anda mal.

¿Quién puede culparlo? Nuestra prensa aviva esas viejas suposiciones con artículos sobre "Los diez mejores empleos para el siglo XXI". El gobierno fomenta esas mismas suposiciones al elaborar las "cifras de empleo" como si fueran los signos vitales de una sociedad enferma. Las compañías apoyan esas suposiciones con sus obsoletas descripciones de empleos y su contratación basada en empleos y, además, las universidades y agencias sociales contribuyen al iniciar agencias de colocación. ¡*Colocación*, por Dios! Es como si hubiera estas piezas y simplemente tuviéramos que ponerlas en el espacio que les corresponde.

Estamos entrando en una nueva era y trabajaremos con las implicaciones de ese hecho en tanto sigamos aquí. De manera clara, no será posible ninguna respuesta final hasta que pensemos cómo hacer que esas cinco importantes piezas institucionales (corporaciones, gobierno, sindicatos, escuelas e instituciones emergentes) se sienten alrededor de la mesa, pero eso seguramente tomará un tiempo. ¿Por qué entonces no inicia su *Usted, S.A.* mientras espera?

Notas

Prefacio

Página 13: "La tesis del fin del empleo", *JobShift: How to Prosper in a Workplace Without Jobs* (Reading, Mass.: Addison-Wesley, 1994). Si se interesa especialmente en las evidencias de la deslaborización y un análisis de sus implicaciones en las organizaciones, espero que comience con *JobShift*.

Página 17: Thurman Arnold, citado en *Quotation of Wit and Wisdom*, de John W. Gardner y Francesca Gardner Reese (Nueva York: W. W. Norton, 1975), p. 196.

Capítulo uno

Página 29: citado en "Out but Not Down", de Jay Finegan, publicado en *Inc.* [edición de *The Inc. 500 1996*], p. 49. La compañía de Dresner es manejada por tres personas que perdieron sus empleos en DEC, y fue la número diez en la lista de 1996 de la revista *Inc.* entre las 500 compañías de mayor crecimiento en Estados Unidos.

Página 30: Economistas bancarios: Bernard Wysocki Jr., "Seers in a Slump", *TheWall Street Journal*, 9 de octubre de 1995, p. 1 (A).

Páginas 30-31: Jon Tipping, *véase* Clare Hogg, "The Angel of Business", *Enterprise* (marzo-abril de 1996), p. 55.

Página 31: Restoration Co.: Leslie Helms, "Workers Brave a New World", *Los Angeles Times*, 10 de diciembre de 1995, p. 1(D).

Página 31: Lotus and Olsten Co.: Julie Cohen Mason, "A Tempting Staffing Strategy", *Management Review* (de febrero de 1996), pp. 33-36.

Página 32: Alessandra Bianchi, "Breaking Away", *Inc.* (de noviembre de 1995), pp. 36-41, y Jeff Cole, "Boeing Teaches Employees How to Run Small Business", *The Wall Street Journal*, del 7 de noviembre de 1995, p. 1(B). No sólo la iniciativa de Boeing proporcionará proveedores en el futuro que conozcan bien la empresa; también, según un funcionario gubernamental que ayudó a iniciar el programa, "mantiene en sus límites las contribuciones del seguro de desempleo y mejora su imagen frente a la comunidad [así como estimular]... la paz con los sindicatos proporcionando empleo a largo plazo para trabajadores que posiblemente no vuelvan, debido a los programas de recortes a largo plazo", *ibid.*, p. 2 (B).

Página 32: Electronic Scriptorium, *véase* Jyoti Thottam, "Entrepreneur Finds Monks Make Heavenly Employees", *The Wall Street Journal*, 12 de julio de 1993.

Página 32: Reuters Holdings, "Signs of the Times", *Training & Development* (febrero de 1996), p. 33.

Páginas 33-34: Peter Drucker, *Post-Capitalist Society* The Real, Controlling Resource..." (Nueva York, Harper Collins, 1993), p. 6.

Páginas 35-36: Robert Howard, "Operating Effectively...": "The CEO as Organizational Architect: An Interview with Xerox's Paul Allarie", *Harvard Business Review* (septiembre-octubre, 1992), p. 109.

Página 37: Cheryl Russell: "The Master Trend", *American Demographics* (octubre de 1993). Las citas mencionadas aquí son de las páginas 30 y siguientes.

Página 38: John Case, "Economic Friction...", *véase* "The Friction-Free Economy", *Inc.* (junio de 1996), pp. 27-28.

Página 41: Usuario contra cliente: para más información sobre la diferencia entre cliente y usuario, *véase* la página 184. Básicamente, el cliente es el usuario de sus servicios, y el usuario utiliza los servicios del cliente. Lo que usted haga por sus clientes los ayudará a ellos a servir a sus usuarios, y sus servicios se justifican únicamente por el valor que añade a los servicios del cliente destinado a estos usuarios.

Página 42: Robert Schaen, citado por Janice Castro, "Disposable Workers", *Time* (29 de marzo de 1993), p. 47.

Páginas 42-43: Para un estudio sumamente interesante de la industria cinematográfica como prototipo de la industria deslaborizada del futuro, *véase* Joel Kotkin, "Why Every Business Will Be Like Show Business", *Inc.* (marzo de 1995), pp. 64 y siguientes.

Página 43: "No one Says, 'We'll Help You'", citado por Tohas A. Stewart, "3M Fights Back", *Fortune* (5 de febrero de 1996), p. 99.

Páginas 44-45: "You Won't Last a Microsoft...", citado por Bob Flipczak, "Beyond the Gates at Microsoft", *Training* (septiembre de 1993), p. 43.

Páginas 44-45: "If people Want to Change", *ibid.*

Página 45: Peter Schwartz, citado por Robert McGarvey, "Tomorrow Land" [entrevista con Schwartz y Stewart Brand], *Entrepreneur* (febrero de 1996), p. 138.

Página 48: Alfred North Whitehead, citado por Gardner y Gardner, *op. cit.*, p. 195.

Página 48: Henry Thomas Buckle, citado por George Seldes, *The Great Quotations* (Secaucus, N.J.: The Citadel Press, 1983).

Capítulo dos

Página 55: Lily Tomlin y Jane Wagner, citados por Robert Byrne, *The Fourth and by Far the Most Recent 637 Best Things Anybody Ever Said* (Nueva York: Fawcett, 1990), núm. 45.

Página 58: Personas que no estudiaron más que la preparatoria: Brigid McMenamin, "Whatever It Takes", *Forbes* (27 de marzo de 1995), p. 134.

Página 58: Lewis Perelman, *School Out* (Nueva York, Avon Books, 1992).

Página 59: Henry Bessemer, citado por Gardner y Gardner, *op. cit.*, p. 18.

Página 60: Jackie Larson, "To Get a Job, Be a Pest", *The Wall Street Journal* (14 de abril de 1995), p. 12 (A).

Página 61: *Forbes FYI*: Leah Garchik, "A Treasure Hunt Is Part of the Job Application", *San Francisco Chronicle* (26 de enero de 1996), p. 20 (D).

Páginas 62-63: Jim McCann, citado por Jenny C. McCune, "Flower Power", *Management Review* (marzo de 1995), p. 9.

Página 63: Las diez habilidades básicas, tomado de "Research Capsules", *Training & Development* (diciembre de 1995), p. 51.

Páginas 63-64: Samuel Metters, de *Inc. Technology 3* (1995), p. 79.

Página 64: Nordstrom: La primera cita proviene de la portavoz de la empresa Vicki Woo y aparece citado en *Bottom Line/Business*, 1 de julio de 1995, p. 15; la segunda cita es de Robert Spector, "How Nordstrom Became the Leader in Customer Service", *ibid.*, 15 de octubre de 1995, p. 7.

Página 68: La era de la independencia; una semana después de escribir este capítulo, recibí mi ejemplar de *Harvard Business Review* (julio-agosto de1996), donde se reimprimió el artículo de Harry Levinson de 1981, titulado "When Executives Burn Out", considerado como un "clásico de la publicación". Levinson añadió un poscripto al artículo titulado "A New Age of Self-Reliance", en el que dice: "En el mundo de hoy, necesitamos preocuparnos menos por el siguiente escalafón y más por la variedad de posibilidades que se abren ante nosotros en caso de que los escalafones desaparezcan y nos veamos a nosotros mismos en la necesidad de utilizar nuestros propios recursos". Aunque el poscripto de Levinson es demasiado breve para proporcionar un plan para hacerlo, obviamente recomienda un enfoque similar al que examinamos aquí.

Página 68: Escrito del siglo XIX sobre la crianza de niños: Daniel Miller y Guy Swanson, *The Changing American Parent* (Nueva York: Columbia, University Press, 1958), p. 40.

Página 68: Marvin Meyers, *The Jacksonian Persuasion* (Nueva York: Vintage, 1960), p. 137.

Página 69: Ralph Waldo Emerson, "Autosuficiencia", en *E. W. Emerson, The Complete Works of Ralph Waldo Emerson* (Boston: Houghton Mifflin, 1903-1904), pp. 46-47.

Páginas 70-71: Barry Diller, "The Discomfort Zone", *Inc.* (noviembre de 1995, p. 19).

Parte II

Página 77: Janis Joplin, *The Quotable Woman* (Filadelfia: Running Woman Press, 1991), p. 34.

Capítulo tres

Página 79: Don Marquis, citado en Evan Esar, ed., *The Dictionary of Humorous Quotations* (Nueva York: Dorset Press, 1989), p. 136.

Página 80: Willa Cather, citada por Roslie Maggio, ed., *The Beacon Book of Quotations by Women* (Boston: Beacon Press, 1992), p. 80.

Página 81: Eric Hoffer, citado por Laurence J. Peter, *Peter's Quotations: Ideas for Our Time* (Nueva York: Bantam Books, 1980), p. 512.

Página 82: Alexander Woollcott, citado por Esar, *op. cit.*, p. 226.

Página 83: Audre Lorde, citado por Maggio, *op. cit.*, p. 81.

Capítulo cuatro

Página 93: Raúl Fernández: Lewis J. Perelman, "Why 'Barnstormers' Will Inherit the Knowledge Era", *Knowledge Inc.: The Executive Report on Knowledge, Technology and Performance* (julio de 1996, p. 4). Perelman, anteriormente citado como autor de *School's Out*, es uno de los pocos comentaristas que tienen un punto de vista completo sobre el impacto de la era del conocimiento sobre nuestras instituciones y valores.

Página 95: Raúl Fernández, *ibid*.

Página 96: Corning y Motorola, *ibid.*, p. 7.

Página 98: Haldane y Bolles. Mi propio pensamiento debe mucho a estas dos personas y todos pueden beneficiarse bastante leyendo cualquiera de los libros de Haldane (entre sus más recientes está *Career Satisfaction and Success*, edición revisada [Nueva York: Amacom, 1988]) o el de Bolles, *What Color Is Your Parachute?*, revisado anualmente (Berkeley, Calif.: Ten Speed Press). Este último libro, que adquirió una dimensión casi bíblica (en ventas, en reputación y en impacto), es el mejor sobre cómo buscar empleo. Si me siguió hasta este punto, ya sabe que pienso que buscar empleo ya es obsoleto. Es la medida de la comprensión de Bolles de este tema lo que hace que su consejo sea algo que valga la pena escuchar.

Página 99: Me tomó una eternidad. Este párrafo y el siguiente aparecieron originalmente en forma modificada en *JobShift*... pp. 84-85.

Página 100: Douglas Richardson, Robert Saypol y Virgina Coombs, citados por Tony Lee, "Disgruntled Lawyers Make a Good Case for Changing Careers", *The Wall Street Journal*, 23 de julio de 1996, p. 1 (B).

Capítulo cinco

Página 105: Martin Buber, *The Way of Man, According to the Teaching of Hasidism* (Nueva York: The Citadel Press, 1967), p. 15.

Página 106: Jean Girardoux, de su obra *Siegfried*, citado en Rhoda Thomas Tripp, ed., *The International Thesaurus of Quotations* (Nueva York: Harper, 1970), p. 466.

Página 106: Emerson, *Journals* (1836), citado en *ibid.*, p. 75.

Página 106: Heráclito, *Fragments*, p. 76.

Página 107: Los abogados son con frecuencia demasiado competitivos: Tony Lee, art. cit., p. 1(B).

Páginas 107-108: Un libro que explora la importancia del trabajo y que resulta apasionante es el de David Whyte, *The Hearth Aroused* (Nueva York: Doubleday Currency, 1994).

Página 108: Laboratorios Bell, "Signs of the Times", *Training & Development* (febrero de 1996), pp. 7-9.

Páginas 108-109: Véase Frank J. Sulloway, *Born to Rebel: Birth Order, Family Dynamics and Creative Lives* (Nueva York: Pantheon Books, 1996).

Página 109: Deborah Tannen, *You Just Don't Understand* (Nueva York: Ballantine, 1994) y John Gray, *Men Are from Mars, Women Are from Venus* (Nueva York: Harper, 1993).

Página 110: Harry Levinson, art. cit., pp. 162-163.

Capítulo seis

Página 116: Amy Quirk aquí describe la empresa que fundó con Eric Weiss en el artículo "Leveraging Expertise into Increased Sales", *Your Company* (agosto-septiembre de 1996), pp. 18-19.

Página 117: Bill Gates y Microsoft: La declaración de Gates aparece en Malcolm Wheatley, "A Window on Bill Gates", *Human Resources* (enero-febrero de 1996), p. 28. Las otras cuestiones fueron citadas de la entrevista de Ron Lieber con el director de personal de Microsoft, David Pritchard, "Wired for Hiring: Microsoft's Slick Recruiting Machine", *Fortune* (5 de febrero de 1996), p. 123.

Página 118: Virgina Coombs citada por Tony Lee, art. cit., p. 1(B).

Página 122. Este argumento es de Perelman, art. cit., p. 4.

Página 126: Alexis de Tocqueville citado en *The Viking Book of Aphorisms*, compilado por W. H. Auden y Louis Kronenberger (Nueva York: Dorset Books, 1962), p. 56.

Parte III

Página 135: Citado por Louis S. Richman, "How to Get Ahead in America", *Fortune* (16 de mayo de 1994), p. 49.

Capítulo siete

Página 137: Phil Wexler citado por Joe Griffith, *Speaker's Library of Business Stories, Anecdotes, and Humor* (Englewood Cliffs, N.J.: Prentice Hall, 1990), p. 207.

Página 138: Theodore Levitt, *The Marketing Imagination* (Nueva York: Free Press, 1986).

Página 141: Aeropuerto de Atlanta. Debo esta viñeta a George Pendleton, quien me habló de esto y que lo vio en acción.

Página 141: Stanley Fukuda, Holman W. Jenkins, "Here's to Human Capital", *The Wall Street Journal*, 2 de abril de 1996, p. 15(A).

Capítulo ocho

Página 159: Henry Ford citado por Griffith, p. 377.

Página 165: Las agencias de viajes que se redefinen a sí mismas: La cita y los tres ejemplos son de John Case y Jerry Useem, "Six

Characters in Search of a Strategy", *Inc.* (marzo de 1996), pp. 52-55.

Página 167: Norm Brodsky, "Three Criteria for a Successful New Business", *Inc.* (abril de 1996), p. 21.

Página 169: Black Oak Books: Gavin Power, "Bookstore's Tale of Triumph", *San Francisco Chronicle*, 6 de septiembre de 1995, p. 1(B).

Página 170: Thomas Petzinger Jr., "Gibson Does His Part to Make the Economy Safe from Cycles", *The Wall Street Journal*, 12 de abril de 1996, p. 1(B).

Página 171: William Gibson y Manugistics: Del artículo de Petzinger anteriormente citado; y Amal Kumar Naj, "Manufacturing Gets a New Craze from Software: Speed", *The Wall Street Journal*, 13 de agosto de 1996, p. 4 (B).

Página 172: Un ejecutivo de subcontratación: Esta historia trata sobre Joan Blackman de Seagate Associates, Paramus, N.J.

Página 172: William James citado por Peter, *op. cit.*, p. 212.

Página 172: Automóviles japoneses: Citado por Griffith, *op. cit.*, p. 122.

Página 174: Presidente de una compañía de ropa en Nueva York: Citado por Donna Fenn, "Homegrown Employees", *Inc.* (julio de 1995), p. 95.

Capítulo nueve

Página 177: Robert Schaen citado por Castro, *op. cit.*, p. 47.

Página 180: Andover Controls: Edward O. Welles, "Why Every Company Needs a Story", *Inc.* (mayo de 1996), pp. 69-75.

Página 181: Salon, *ibid.*, p. 75.

Página 198: Iniciativas de Coinversión: Stephanie N. Mehta, "Amateur Inventors Use Middlemen to Keep Day Jobs", *The Wall Street Journal*, 20 de agosto de 1996, p. 2 (B).

Página 199: Para información sobre entrenadores, *véase* Robert J. Grossman, "Game Plan", *Entrepreneur* (julio de 1996), pp. 143-147; Jim Collins: "Looking Out for Number One", *Inc.* (junio de 1996),

p. 29; Carol Smith, "Putting a Coach in Your Corner", *Los Angeles Times,* sección "Midcareer Checkup", 20 de mayo de 1996, p. 7; y un boletín publicado en Seal Beach, Calif., llamado *Professional Coaches and Mentors Journal*, cuyo primer número (junio-julio de 1996) es de donde se obtuvo la información sobre la Universidad de Entrenadores. El repentino surgimiento de información sobre este tema habla mucho de los cambios en el mercado de trabajo al que llamamos "deslaborización".

Página 199: *Véase* Lester A. Picker, "Hatch Ideas with Outside Advisers to Boost Profits", *Your Company* (junio-julio, 1996), pp. 32-35.

Capítulo diez

Página 205: Elinor Smith citado en *The Quotable Woman*, p. 23.

Página 209: British Telecom: Boletín de la empresa, fechado el 23 de mayo de 1995.

Índice analítico

Esta obra se terminó de imprimir
en agosto de 1998, en
Diseño Editorial, S.A. de C.V.
Bismark 18
México 13, D.F.

La edición consta de 4,000 ejemplares